MTST
20 ANOS DE HISTÓRIA

LUTA, ORGANIZAÇÃO E ESPERANÇA NAS PERIFERIAS DO BRASIL

GUILHERME SIMÕES
MARCOS CAMPOS
RUD RAFAEL

© Autonomia Literária, São Paulo, para a presente edição
© Coordenação nacional do MTST, 2017

Coordenação editorial
Cauê Seignemartin Ameni e Henrique Sater

Revisão
Pedro Rocha de Oliveira e Sumaya de Souza Lima

Foto da capa
Mídia Ninja

Projeto gráfico
Giovana Pasquini e Henrique Sater

Diagramação
Giovana Pasquini

Dados Internacionais de Catalogação na Publicação (CIP)
(eDOC BRASIL, Belo Horizonte/MG)

S593m
    Simões, Guilherme.
        MTST 20 anos de história: luta, organização e esperança nas periferias do Brasil / Guilherme Simões, Marcos Campos, Rud Rafael. – São Paulo (SP): Autonomia Literária, 2017.
        14 x 21 cm

    ISBN 978-85-69536-15-4

       1. Conflito social. 2. Movimentos sociais. 3. Movimento dos Trabalhadores Sem Teto - História. I. Campos, Marcos. II. Rafael, Rud. III. Título.
                                                               CDD-303.484

Editora Autonomia Literária
Rua Conselheiro Ramalho, 945
01325-001 – São Paulo – SP
autonomialiteraria@gmail.com
www.autonomialiteraria.com.br

AGRADECIMENTOS

Sendo uma história coletiva, um livro sobre o Movimento dos Trabalhadores Sem Teto não poderia ser escrito sem que fosse um trabalho de cooperação. Além das mãos dos autores, contamos, e muito, com a colaboração de muita gente, a começar pelos militantes mais experientes, que constroem o MTST desde quando não passávamos de um pequeno movimento popular urbano. Se não citamos nomes, é para evitar o possível esquecimento de alguém importante. Alguns são enciclopédias vivas de nossa história, outros chegaram mais recentemente e já constroem os próximos vinte anos. Houve aqueles que contaram histórias vividas, aqueles que ajudaram a sistematizar as histórias construídas em cada Estado, aqueles que se preocuparam em selecionar fotos e garantir uma estética à altura da comemoração desse aniversário. E, claro, houve aqueles que suaram a camisa nessas duas décadas fincando pau, esticando lona, marchando, travando, ocupando, gritando, teimando em lutar.

Então, para quem gastou tempo rememorando histórias e/ou ajudando a construí-las, nosso muito obrigado!

SUMÁRIO

PREFÁCIO 7

APRESENTAÇÃO 13

1. MTST 20 ANOS: TODA HISTÓRIA TEM COMEÇO 17

Nasce o MTST, filho da necessidade 24

Crescem os desafios 30

MTST – Movimento aglutinador 36

2. A CONSTRUÇÃO NACIONAL 41

MTST – 20 anos de resistência em movimento 44

MTST-SP – a Copa e a explosão de ocupações e de
mobilizações de massa 46

A Copa do Mundo é nossa! 48

A batalha do Plano Diretor de São Paulo e o avanço
das ocupações 50

MTST-DF – a resistência que pulsa na capital do país 54

MTST-RR – contra a violência que mata,
a luta que reinventa 74

MTST-RJ – água mole em pedra dura 76

MTST-TO: – do Norte ao Centro-Oeste, a construção
nacional se amplia 80

MTST-CE – do trabalho comunitário às ocupações de massa 82

MTST-PR – a consciência territorial como fator
de transformação no Brasil 86

MTST-MG – do agrário ao urbano e a importância da luta
pela terra nas cidades 90

MTST-GO – a formação política e a luta que não tem fronteiras 92

MTST-RS – a organização comunitária
e a luta contra o Estado violador 96

MTST-PE – a auto-organização das mulheres
na luta urbana 98

A consolidação da política territorial e o processo
de expansão no Nordeste 102

3. DESAFIOS ATUAIS DO MTST 105

A onda conservadora ou: a mãe do golpe 108

O golpe – a democracia (in)existente 110

Reformas populares – o caminho para as maiorias 114

Frente Povo Sem Medo – mobilização e organização
popular contra a lógica mercantil das cidades 118

Participação popular – Vamos! 122

Referências bibliográficas 126

PREFÁCIO

A HISTÓRIA DO MTST É A HISTÓRIA DA MULHER NA PERIFERIA

Este texto preliminar, escrito por diversas mãos femininas, pretende quebrar o protocolo formal dos livros.

A história do MTST é a história de mulheres e homens, rebeldes e radicais, que sobrevivem pela sua coragem, rompendo os tradicionais protocolos da política sustentada pelos podres poderes e reinventando, assim, suas histórias. Quem se arriscar a ler este livro irá mergulhar nas histórias dos despossuídos de direitos e de bens e, ao mesmo tempo, possuidores de uma infinita fé que move corpos e mentes em busca da dignidade e da felicidade comum: a fé na luta.

Este pequeno livro fala um pouco da imensa desigualdade que assola o país, da histórica e injusta concentração de riquezas que joga milhões de trabalhadores às margens da dignidade humana. A negação de um direito básico beira o absurdo:

no Brasil, são aproximadamente 7,2 milhões de imóveis vazios e ociosos, e uma população de quase 6,8 milhões sem moradia, o que quer dizer que os sem-teto poderiam não existir se esses imóveis se transformassem em habitação. A sociedade brasileira é uma fábrica de fazer sem-tetos: eis a principal razão da existência do MTST.

A história do MTST também é a história de milhões de mulheres espalhadas pelo Brasil-periferia. Mulheres negras, pardas, brancas, jovens, mais velhas, mães, avós, tias, irmãs, filhas, esposas, amantes, amadas, companheiras e trabalhadoras pobres, oprimidas, violentadas, violadas, exploradas. Aliás, excessiva e continuamente exploradas.

Segundo a Organização Internacional do Trabalho, o Brasil é o país com maior número de trabalhadoras domésticas: são cerca de 6,7 milhões. Trata-se de uma das ocupações que as sem-teto mais exercem. Seria uma profissão como outra qualquer não fossem os abusos que elas enfrentam nas casas alheias, tais como a obrigação de trabalhar fora do período combinado, o exercício de outras tarefas – babás ou cuidadoras de idosos –, tudo encarado pelo patrão ou patroa como favores. Enfim, heranças do período escravocrata.

Mulheres violentadas! O ciclo de violência é sistemático, perverso, difícil de sair, e são poucos os caminhos de acolhimento que o Estado oferece para nos libertarmos. Sofremos todo tipo de violência, muitas vezes dentro de nossas próprias casas. No ano de 2016, os dados da violência contra a mulher foram aterradores: a cada hora, 503 mulheres foram agredidas de alguma maneira, segundo estudo do Datafolha. Para se chegar a esse número, foram realizadas entrevistas presenciais em 130 municípios brasileiros com 4,4 milhões de mulheres, o que corresponde a 9% da população feminina acima de 16 anos. Do total de agressores, 61% eram conhecidos das vítimas, 19% eram namorados, companheiros ou cônjuges e 16% eram ex-companheiros. Em 43% dos casos, a violência foi cometida dentro da residência da vítima.

Além dessa violência que nos oprime, nos diminui, nos dilacera em todos os aspectos, ainda temos que encarar a falta de direitos. Quem não conhece uma mulher que não consegue trabalhar por falta de creche para os filhos? Diversos estudos demonstram que os salários das mulheres são menores e, muitas vezes, questiona-se a capacidade intelectual da mulher de cumprir as mesmas tarefas que os homens. Na política institucional, os dados também não são animadores: em um país onde as mulheres são 53% do eleitorado, o número de mulheres eleitas como prefeitas e vereadoras diminuiu entre 2012 e 2016. Mas não para por aí. Quem não conhece uma mulher que sofreu um abuso dentro de um ônibus, sem que nada acontecesse ao agressor? Quantos dos assédios que sofremos na rua são naturalizados?

Para mudar esse cenário, as mulheres ganham mais espaço na política, especialmente na política popular. No MTST, somos mulheres comuns, com alegrias e tristezas, encantos e desencantos, mãos calejadas, unhas feitas, batom vermelho e barro no pé. Também somos vítimas da sociedade machista, autoritária, patriarcal. Vítimas do fetichismo e do sexismo. E por isso lutamos! Somos Marias, Joanas, Luizas, somos todas que decidiram mudar seus destinos.

Quantas barreiras uma mulher periférica precisa ultrapassar para estar na luta? Além das dificuldades em ser mãe, trabalhadora e marginalizada, o que a mulher enfrenta para entrar na política, lugar tradicionalmente ocupado por homens? Não fossem as mulheres sujeitas, queimadas na fábrica, donas do ventre, queimando sutiãs, comandantes revolucionárias, duras e doces, com fuzil e flores, bravura e delicadeza... Não fossem as Dandaras do quilombo, as Marias do sertão, as Rosas da revolução, as Dorothys da Missão...

Não fossem as guerreiras que sustentam o dia a dia das ocupações e tantas outras esquecidas, estaríamos ainda saindo das costelas dos nossos amados.

No MTST, nossa prática política pretende apontar não para o "empoderamento", que tende a ser uma descoberta individual para aumentar a autoestima, mas para a libertação, que é um descobrimento coletivo, a percepção de si no outro e na outra, com a compreensão de que mudanças só se perpetuam no tempo se forem estruturais, a partir dos nossos interesses enquanto classe, e tendo clareza de quem são realmente nossos inimigos. A prática política libertadora requer atenção à construção histórica, mas também às transformações no cotidiano. Ademais, a libertação das mulheres só é possível com luta social e envolvimento de mulheres e homens.

Por tudo isso, a luta por moradia tem um imenso potencial libertador para as mulheres. Somos a maioria: não temos direitos iguais, mas temos os mesmo deveres legais e, além disso, os deveres socialmente construídos.

Dados do IBGE revelam que, em 2016, as mulheres eram referência familiar para 39,8% dos lares brasileiros. Esse número fala de mulheres que sustentam sozinhas todo um aparato para que suas famílias funcionem. Muitas vezes abandonadas por seus "companheiros", essas mulheres trabalham em jornada dupla ou tripla, fora e dentro do lar, e ainda cuidam dos filhos e de parentes idosos. No caso das sem-teto, depois de tudo isso, elas ainda vão para o acampamento, onde assumem tarefas e responsabilidades dentro do projeto coletivo que é a ocupação: reuniões de coordenação e grupos, cozinhas coletivas, mutirões, entre outras atividades.

A luta por moradia é mobilizadora para as mulheres, pois é a luta pela sobrevivência e pela autonomia afetiva. Para nós mulheres, o lar não é um teto, uma renda, uma propriedade;

o lar é a possibilidade de uma vida mais feliz. Felicidade não é luxo, não é uma compra de altas cifras. Para nós, trabalhadoras sem teto, a felicidade é prover e usufruir de um espaço agradável, digno, com a família que estabelecemos na vida, que pode ser com homem ou com mulher, com filhos ou com cachorros e gatos, ou simplesmente com nossa alma.

Enquanto a vida cotidiana na cidade é de sofrimento, a luta é a busca por essa felicidade. E mesmo quando a vida política destrói afetividades, a presença da mulher as reinventa. Nós, mulheres sem teto, encontramos em nossas ocupações significados maiores para nossas vidas, conseguimos compatibilizar o compromisso afetivo com o político.

Assim, a luta para nós no MTST é incrivelmente mágica e desafiadora. O feminismo popular que praticamos dialoga com os nossos camaradas, homens, companheiros de luta. Esse feminismo popular não é o que rotula, mas o que tenta quebrar rótulos. Não busca conceitos academicistas para explicar os efeitos das práticas machistas, mas soluções coletivas e reais. Constrói espaços e busca refletir sobre nossas práticas, por vezes machistas, tentando romper com a disputa feminina e alcançar espaço para todas. O feminismo que praticamos não é o que anula nossas qualidades femininas, mas o que reconhece nossas diferenças para com os homens e carrega para o mundo da política qualidades, instintos e aprendizagens femininas.

Ser mulher, militante do MTST e ajudar a construir essa história é um desafio e um prazer imenso, pois através da inserção na luta, entendemos o quanto é maravilhoso e único ser mulher e o quanto as mulheres ajudam, mesmo em condições precárias de vida, a construir um mundo novo.

Mulheres da Coordenação Nacional do MTST

APRESENTAÇÃO

OS HUMILDES SERÃO EXALTADOS

Este livro existe como forma de contar a história de um dos mais destacados movimentos populares da atual conjuntura brasileira. Tarefa difícil. São 20 anos de estrada, todos eles dedicados, dia após dia, à construção de uma ferramenta de luta e organização de trabalhadores marginalizados pelo desenvolvimento capitalista nas cidades. Muitos fatos ficaram para trás. Detalhes importantes de algumas das histórias também não foram registrados. Pudera: o objetivo é contribuir com o processo de construção das (tantas) memórias do MTST, não finalizá-lo.

Alguns estudos acadêmicos contribuíram para o levantamento de nossa história. Jornalistas também ajudaram bastante. Entretanto, a maior riqueza no que diz respeito à trajetória do Movimento está na memória daqueles e daquelas que construíram com suas próprias mãos (pés, braços, nervos, suores, lágrimas) o MTST nesses 20 anos. Assim, o presente livro é uma junção dos diferentes tipos de registros: acadêmicos, jornalísticos e fundamentalmente orais, tendo como objetivo remontar a história até aqui, mas também contribuir para aqueles que vêm e virão a se somar às trincheiras da árdua luta contra o modelo capitalista de vida nas cidades, especialmente sob a ótica das periferias urbanas. Por isso, ao escrevermos coletivamente este livro, queremos apresentar ao público em geral que se interessa pela história dos oprimidos um material a partir do qual seu estudo pode ter um ponto de partida. Entretanto, pensamos que o "público-alvo" é principalmente o trabalhador sem teto que constrói essa história no presente. Trata-se, assim, de uma ferramenta de autoconhecimento do MTST para fortalecer o futuro a partir das experiências passadas.

A vida nas cidades tem sido de sacrifícios para aqueles que sobrevivem nas periferias urbanas. A falta de quase tudo é a essência do modelo segregador e excludente que marginaliza milhões ao mesmo tempo que enriquece uma minoria. Sem novidade. Quem vive o cotidiano periférico acostumou-se com o desemprego, com a falta de infraestrutura, com a violência policial. Para os "de baixo", não é permitido que se levantem: devem viver sofrendo sem gritar, chorando em silêncio. Em tempos de agressividade neoliberal, um dos ingredientes mais comuns do ambiente urbano é o sentimento contra o povo e suas expressões que teimam em ser coletivas, quando a ordem exige um individualismo cego. É contra isso que gritamos: – Levanta povo, cativeiro acabou! Ou ainda: – Criar, criar poder popular! Esta é a missão histórica dos sem-teto no Brasil: podemos estar acostumados, mas jamais aceitaremos essa "ordem das coisas". Dedo na ferida, os calados gritam, os escravizados quebram correntes… Contra uma lógica perversa de exploração e roubo, os humildes serão exaltados. Bem-aventurados!

MTST 20 ANOS:
TODA HISTÓRIA
TEM COMEÇO

Quem viveu a década de 90 se lembra bem: o Brasil passava por um período difícil. Em 1996, o desemprego atingia cerca de 15% da população das regiões metropolitanas segundo o DIEESE (Departamento Intersindical de Estatísticas e Estudos Sócioeconômicos); a inflação (de acordo com o IPC, Índice de Preços do Consumidor) bateu os 10,04%, e o salário mínimo não passava de inacreditáveis R$ 112,00. Só para se ter uma ideia de como a situação era séria, a cesta básica não custava menos de R$ 110,00. Obviamente, em um momento como esses de instabilidade econômica, quem mais sofria eram as camadas mais pobres do país.

O presidente era o sociólogo Fernando Henrique Cardoso. Seu governo foi responsável pela implementação mais direta do neoliberalismo no Brasil. Vender empresas estatais a preços questionáveis, como ocorreu com a Vale do Rio Doce[1], retirar direitos dos trabalhadores e alinhar a política internacional do Brasil aos interesses dos Estados Unidos e Europa nortearam essa estratégia político-econômica que vinha sendo implementada em quase todo o mundo. Os resultados? Os trabalhadores mais pobres certamente não guardam nenhuma saudade.

No estado de São Paulo, vivíamos uma dura realidade: uma verdadeira explosão das periferias das principais cidades. Se essas periferias já eram há décadas espaços com absurda ausência de infraestrutura, tornavam-se ainda mais violentas e abandonadas nos anos 90. Cresciam em tamanho e na gravidade de seus problemas. Com o custo de vida elevado, a moradia era (como ainda é) um dos principais desafios. Em 1996, segundo o IBGE, o déficit habitacional, ou seja, a quantidade de famílias brasileiras sem acesso à moradia digna, era de aproximadamente 5 milhões, o que dava mostras do verdadeiro drama que era viver na cidade. Isso sem mencionar a completa ausência de políticas públicas habitacionais por parte dos governos. Com exceção de uma ou outra iniciativa pontual de prefeituras, a questão da moradia estava abandonada.

O Brasil tornou-se um país predominantemente urbano apenas na década de 1970, mas a dificuldade para sobreviver no "país do futuro" vinha do passado: se observarmos nossa história, veremos que as maiorias sempre foram privadas de tudo. As populações indígenas originais sofreram um verdadeiro genocídio após a invasão portuguesa (chamada erroneamente de "descobrimento do Brasil") e aqueles que resistiram tiveram suas terras roubadas. Os negros escravizados (mais de 5 milhões) foram tratados desde o início como objetos e instrumento de trabalho. Antes mesmo

---

1 Para se ter uma ideia da sanha privatista, a Companhia Vale do Rio Doce (CVRD) foi vendida em 1997 por R$ 3,3 bilhões, quando suas reservas minerais eram estimadas em mais de R$ 100 bilhões. (ZONTA, 2013.)

da abolição da escravidão (1888), uma lei determinava que as terras do país só poderiam pertencer a quem já as detivesse ou a quem pudesse comprá-las (Lei de Terras, 1850), o que tornou, na prática, impossível que os negros livres pudessem ter acesso à terra e ao trabalho. Marginalizados na sociedade que crescia e se desenvolvia, as populações pobres, formadas em sua maioria por descendentes de indígenas e de africanos, nunca tiveram qualquer privilégio, diferentemente de pequenos grupos, em geral herdeiros de terras, que desfrutavam do poder econômico e, como consequência disso, exerciam o poder político na sociedade brasileira.

Assim, entendemos como a chamada questão agrária, ou seja, a falta de acesso à terra para a maioria dos brasileiros, está na raiz dos problemas sociais de nosso país. Fica fácil entender também por que temos aqui um dos maiores movimentos sociais do mundo: o Movimento dos Trabalhadores Rurais Sem Terra. Criado na década de 1980, o MST é resultado do histórico problema da estrutura agrária brasileira, e sua trajetória de luta e resistência demonstra que esse problema jamais foi resolvido pelo Estado e sequer enfrentado pela grande maioria dos governos desde a época colonial.

Quem acha que essa história não impacta a vida nas cidades se engana muito. O inchaço das periferias e a consequente precarização da vida urbana para os mais pobres é resultado da desagregação da vida no campo e da ausência de alternativas para as maiorias. Assim, o problema urbano tem relação direta com a história da questão agrária, e é com ela que a existência do MTST tem relação direta.

Fazenda velha, cumieira arriou
Fazenda velha, cumieira arriou,
Levanta povo, cativeiro acabou!
Levanta povo, cativeiro acabou!
Se o povo soubesse o talento que ele tem
Se o povo soubesse o talento que ele tem
Não aturava desaforo de ninguém!
Não aturava desaforo de ninguém!

Adaptado do belíssimo samba "Pedro e Tereza", de Teresa Cristina e Grupo Semente.
Álbum: *A vida me fez assim*, 2004.

NASCE O MTST, FILHO DA NECESSIDADE

Na década de 1990, a região metropolitana de Campinas era uma das que mais cresciam no Brasil, sendo uma espécie de ampliação da região metropolitana de São Paulo.

E como sempre ocorre no Brasil, o crescimento urbano resultava em aumento da pobreza. De acordo com a pesquisadora Débora Goulart (2011), em 1999, 16,76% da população de Campinas vivia oficialmente em moradias precárias, sendo mais da metade (55%) habitantes de ocupações e mais de 40% moradores de favelas. Isto é, ocupações de áreas abandonadas por trabalhadores sem moradia tornaram-se comuns. No entanto, o tipo de ocupação urbana seguia o modelo geral: não havia, em sua maioria, uma organização prévia. As famílias ocupavam pela necessidade básica da moradia, em uma ação "espontânea" de luta contra a precarização da vida.

Nesse contexto, muitos fatores se entrecruzam. Campinas é uma cidade com histórica atuação sindical, ou seja, a luta social está na memória viva da cidade, assim como há militantes e ativistas espalhados pelo território campineiro. Ao mesmo tempo, o Movimento dos Trabalhadores Rurais Sem Terra (MST) realizava, à época, discussões internas sobre a importância da atuação urbana para a efetivação da estratégia da Reforma Agrária. Um dos desdobramentos dessas discussões foi o destacamento de alguns militantes para construir um movimento social urbano a partir da luta por moradia. Assim, militantes do MST que viviam na região de Campinas passaram a participar mais ativamente das ocupações que já vinham ocorrendo. Destacavam-se a ocupação San Martin, com cerca de 3.500 famílias, o Jardim Campo Belo, com mais de 3.500 famílias, a Eldorado dos Carajás, com 650 famílias, a ocupação Carlos Marighella, com cerca de 200 famílias, e a maior de todas, o Parque Oziel[2], que hoje é um bairro consolidado e abriga mais de 15.000 pessoas. Isso sem contar o Jardim Monte Cristo e a Gleba B, que com o Parque Oziel, formam uma espécie de "complexo", abrigando mais de 10 mil famílias.

Alguns dos nomes escolhidos para essas ocupações revelam a atuação dos militantes que ajudavam a organizar assembleias, mutirões, divisão dos lotes e lutas, muitas lutas.

---

2 Oziel Alves Pereira foi a mais jovem vítima do abominável Massacre de Eldorado dos Carajás, promovido pela Polícia Militar do Pará em 17 de abril de 1996.

"Fomos a pé para São Paulo para reivindicar melhorias para a ocupação. Andamos durante uma semana, parando em cidades para comer e descansar, vivendo de forma improvisada. Naquela época a gente parava a cidade para fazer as manifestações".

É o que lembra Sandra, moradora do Oziel desde aquela época, sobre uma das mais emblemáticas mobilizações do período: uma marcha com milhares de sem-teto de Campinas até São Paulo. Data dessa época também a criação do símbolo do Movimento dos Trabalhadores Sem Teto. Há várias versões para a "maternidade" do símbolo. Preferimos afirmar que surgiu no calor das lutas e que, portanto, é coletivo, como tudo o que ocorre no MTST.

As diversas ocupações e a intensa complexidade da vida urbana na periferia causaram grandes dificuldades para aqueles que se dispunham a construir o MTST em Campinas. A explosão das periferias multiplicava os problemas urbanos para os mais pobres. A violência e o extermínio da juventude pareciam desenfreados, e a estabilidade da maioria das ocupações (poucas sofreram despejo ou repressão) fizeram com que o Movimento repensasse sua estratégia de atuação, muito embora as vitórias fossem notórias. É importante lembrar que, apesar de poucos acúmulos políticos, todas essas ocupações existem hoje como bairros, evidenciando a força daquele processo de luta.

Assim, um grupo de militantes deslocou-se para a cidade do Rio de Janeiro com o intuito de acompanhar e contribuir com as lutas por moradia. Durante cerca de dois anos, o MTST realizou três ocupações, além de duas reocupações logo após despejos traumáticos. Através de muita pressão social, em conjunto com outros movimentos sociais, foram conquistadas 10.000 casas, muito embora em uma região bastante afastada do centro do Rio, conhecida como Nova Sepetiba.

Nesse período, entre o final da década de 1990 e o início de 2000, outros Estados também registram experiências com o MTST, estimulados pelas direções estaduais do MST, mas sem uma organicidade própria. São os casos de Pernambuco, Pará e Rio Grande do Norte.

Mas é na Grande São Paulo que o MTST se tornaria um movimento popular reconhecido nacionalmente. Em 2001, a partir de uma vasta articulação com outros segmentos, tais como as Comunidades Eclesiais de Base, o MTST ocupou um imenso terreno na periferia de Guarulhos – segunda maior cidade do Estado –, próximo ao Aeroporto Internacional

(Cumbica) e também à Rodovia Presidente Dutra, que liga São Paulo ao Rio de Janeiro. Com mais de 2.000 famílias, e contando com uma parceria com estudantes de Arquitetura e Urbanismo, a ocupação Anita Garibaldi impressionava a opinião pública pelas dimensões e, especialmente, pela organização. Dois destaques para esse processo: a aproximação de um grande número de pesquisadores e simpatizantes, que queriam entender melhor a luta urbana e esse "Movimento Sem-Teto", e o debate em torno de uma estratégia propriamente urbana de atuação. A herança política e organizativa do MST possibilitava uma leitura sobre as diferenças entre a luta pela Reforma Agrária, no campo, e a luta urbana, caracterizada por uma dinâmica acelerada e caótica, como é o cotidiano nas periferias das grandes cidades. Nesse sentido, atuar com ocupações próximas a grandes e importantes rodovias passou a ser um dos objetivos táticos da luta, para tornar visível o problema da moradia a partir da ameaça à circulação e à reprodução do capital (força de trabalho e mercadorias). Tanto é que, nos anos seguintes, o travamento de rodovias tornou-se uma das principais táticas de luta.

No ano seguinte, 2002, o MTST confirmou essa prática ocupando um latifúndio urbano na cidade de Osasco, outra importante região econômica da Grande São Paulo. A ocupação Carlos Lamarca foi um verdadeiro exemplo da peregrinação a que são submetidos os sem-teto em São Paulo: foram três despejos em um intervalo de um ano. Um dos mais traumáticos episódios dessa história ocorreu na segunda ocupação, feita em um prédio do especulador Sergio Naya, aquele mesmo do edifício construído com areia de praia. Sem aviso prévio ou mandado, a Polícia Militar do então governador Geraldo Alckmin entrou na ocupação, despejou as famílias e queimou todos os pertences que os moradores não tiveram como retirar dali. Vários militantes foram presos e espancados. "Foi o despejo mais violento que já presenciei", afirma Guilherme Boulos, àquela época, um militante recém-chegado às fileiras da luta do MTST. O recado estava dado: lutar por moradia seria visto como crime e quem o fizesse seria tido como delinquente. Mesmo assim, após anos de batalhas e muita resistência, as famílias do Carlos Lamarca conquistaram suas moradias: 120 apartamentos construídos através do Minha Casa, Minha Vida, localizados no bairro Jardim Belmonte, em Osasco.

A estratégia territorial do MTST avançava: Campinas, Guarulhos, Osasco... Rodovias Santos Dumont, Bandeirantes, Anhanguera, Dutra, Raposo Tavares, Castelo Branco... Em 2003, foi a vez do ABC paulista, região histórica para as lutas sociais no país. O ano era curiosamente o primeiro de Lula como presidente do Brasil. Em homenagem a um dos grandes lutadores do movimento sindical morto pela ditadura militar em

1979, a ocupação feita em São Bernardo do Campo (a letra "B", do ABC), em um terreno da Volkswagen, foi batizada de "Santo Dias". Com 4.000 famílias próximas a mais duas grandes rodovias (Imigrantes e Anchieta), o MTST gerava grande repercussão e criava problemas para Alckmin. Pós-graduado em repressão e criminalização dos movimentos sociais, o eterno governador de São Paulo tratou de promover um verdadeiro massacre. Aqueles que enxergam a tentativa de sobreviver como um crime mais uma vez trataram o Movimento como culpado, buscando parar o inevitável: a luta dos trabalhadores sem teto crescia. Cassetetes, balas de borracha, gás lacrimogêneo, prisões, manchetes mentirosas, nada mais poderia barrar a história que estava sendo escrita por milhares de mãos calejadas. O povo, sempre lesado e espoliado, se levantava, a ponto de intimidar os donos do poder.

Em 2004, após uma tentativa frustrada de ocupar uma área dentro do município de São Paulo, o MTST viveu um de seus piores momentos, sendo cogitado inclusive o encerramento das atividades do Movimento, devido a tantas derrotas e repressão. Aqui, antes de prosseguirmos, faz-se necessária uma menção honrosa a um dos mais importantes militantes da história do MTST: Silvério de Jesus, ativista que dedicou anos à construção da luta por moradia e um dos mais aguerridos coordenadores do MTST naquele momento. Insistiu com seus companheiros de luta que era preciso erguer a cabeça e continuar. A falta de recursos e de apoio, somada à criminalização sofrida pelo Movimento, deveria servir como combustível, e não fator para desistência, já que a maioria dos sem-teto vivem também desamparados e vulneráveis à toda sorte de tragédias. Animados por Silvério, os militantes do MTST prepararam uma nova ocupação, que pode ser considerada como um "corte" histórico dessa trajetória: a ocupação Chico Mendes, em Taboão da Serra.

Taboão é a típica cidade de região metropolitana: parte significativa de sua população trabalha em São Paulo e volta ao fim do dia para um território "mais barato", mas também mais distante e com precária infraestrutura. A ocupação, localizada quase na fronteira com o bairro paulistano do Campo Limpo, cresceu e tornou-se referência na região. Durante quase um ano, entre 2005 e 2006, o MTST voltou a realizar lutas memoráveis. O grande destaque, ainda vivo na memória de quem esteve lá, foi a greve de fome realizada por militantes em frente à casa do então Presidente Lula, em São Bernardo do Campo. Durante três dias, o Movimento recorreu a uma tática extremada para chamar a atenção do poder público para um despejo iminente. Conquistou-se uma vitória parcial ao se arrancar, em negociação, a perspectiva de construção de mais de 800 apartamentos, o que anos depois desdobrou-se no condomínio João Cândido. Além disso, o MTST conseguiu, junto à prefeitura e ao governo estadual, uma alternativa para as famílias que seriam desabrigadas: o auxílio aluguel.

Marcha Parque Oziel – Campinas (SP) – 1997
Reprodução: Internet

CRESCEM
OS DESAFIOS

Desse processo, duas coisas ficavam evidentes: a primeira era que o Movimento precisaria lidar com a lógica urbana que empodera indefinidamente a especulação imobiliária através do poder judiciário e da indiferença conivente de prefeituras e governos estaduais, que geram os despejos e criminalizam as ocupações; a segunda era que aquela luta deveria continuar e, para se fortalecer, deveria buscar ampliar-se para outras regiões do Estado e, quem sabe, do país.

Para o primeiro problema, a resposta construída pelo Movimento foram os núcleos territoriais. Por causa da enorme força dos proprietários junto ao Estado, via-se ocorrerem seguidos despejos, e o Movimento tinha sempre que começar tudo de novo, do zero: reuniões de base, ocupação, projeto. A ideia dos núcleos territoriais era manter a organização de base mesmo fora dos terrenos ocupados, através de reuniões periódicas em locais públicos. A partir dessas reuniões, várias mobilizações poderiam ocorrer, revelando o início de um enraizamento territorial que ainda daria muito trabalho aos donos do poder. Data desse mesmo período a criação da Associação Periferia Ativa, uma rede de referências e lideranças territoriais que, junto com as coordenações do MTST, discutiam e mobilizavam suas comunidades para lutas além da moradia: contra despejos, por creches, por asfalto, contra a violência policial, pela tarifa social de energia elétrica, contra os incêndios criminosos em favelas e outros problemas. Foram dezenas de mobilizações a partir dos territórios, que ajudaram a caracterizar o MTST como uma referência de luta nas periferias da Grande São Paulo.

A segunda questão, a da ampliação nacional, começou a ser respondida com um processo de estadualização. Entre 2006 e 2007, o MTST iniciou a reconstrução de sua atuação em duas importantes regiões, Campinas e ABC, além da região Sudoeste da Grande São Paulo, onde, a essa altura, a presença do movimento estava basicamente consolidada. Vale lembrar que, em 2007, o MTST realizou uma das suas mais importantes ocupações naquela região: a ocupação João Cândido que, apesar de permanecer apenas dois meses no terreno, foi uma das mais intensas experiências produzidas pelo Movimento até então. Foram diversas mobilizações, com destaque para a "Marcha dos 5 mil" e o acorrentamento na igreja catedral de Itapecerica da Serra, que durou cerca de 20 dias. Em 2006, o MTST já havia lançado mão do acorrentamento de militantes em Frente ao Palácio dos Bandeirantes, sede do governo paulista, obrigando à abertura de negociações. O MTST, assim, despontava como uma verdadeira pedra no sapato da normalidade urbana tanto almejada pelo governo do PSDB. Ouviam-se os gritos: "Criar poder popular!" Uma ameaça rondava São Paulo como um espectro. Os marginalizados se levantavam.

[...] Eu vim, pois eu vi, sim, o que se relata,
Que a dor da chibata
Lenhava sem falta por reles vinténs.
E ao rude castigo somente findamos
Depois que tomamos
Navios e canhões e fizemos reféns.
Então nos traíram sem fé na justiça,
Nem crer na premissa
Que o fogo do inferno se atiça do mal.
Coa ira das feras, cavaram buracos,
E aos fortes os fracos
Puseram na cova repleta de cal.
Do fundo nefando do poço covarde,
Porém, com alarde,
Na classe de novo sem medo se fez
A fúria do porto, da praça, da greve
– Vem, povo, te atreve!
'Stá breve a ruína do mundo burguês.

Trecho do poema "João Cândido, Herói nacional", de Paulo Bearzoti,
militante do MTST/PR.

A estadualização do MTST iniciava-se justamente a partir de regiões "velhas conhecidas". No ABC, a ocupação Terra e Liberdade, em Mauá, deu muito o que falar na cidade, quando centenas de trabalhadores sem teto, inconformados com a intransigência do prefeito Oswaldo Dias (PT), ocuparam a prefeitura e foram duramente reprimidos pela guarda municipal. Em Campinas, o Prefeito Dr. Hélio (PDT) também fez vistas grossas ao Movimento, lavando as mãos para a reintegração de posse da Ocupação Frei Tito, mesmo após acorrentamento de cinco militantes por cinco dias em frente ao paço municipal. Para completar a Jornada Estadual de ocupações, realizou-se um acampamento no Embu das Artes: o Silvério de Jesus. Isso mesmo: infelizmente, Silvério batizou uma ocupação poucos dias depois de sua morte repentina, no início de 2008.

Porém, as derrotas momentâneas nos três processos (Embu, Campinas e Mauá) tornaram o MTST um movimento ainda mais coeso e focado no que diz respeito à atuação de sua militância. Nas três regiões, novas ocupações ocorreram, proporcionando grande saldo organizativo. Coincidentemente, tratam-se das regiões com as maiores conquistas do MTST no estado: na região do Embu (que compreende Taboão, em Itapecerica, Zona Sul de São Paulo) foram consquistados alguns terrenos e o compromisso do governo estadual para a construção de unidades.

É preciso dar um destaque para o principal modelo e referência de construção de moradia popular no Brasil, o Condomínio João Cândido, em Taboão da Serra. Inaugurado em 2015, o Condomínio João Cândido é resultado expresso das lutas do MTST na região. Tornou-se um paradigma na construção de moradias populares por conta da forma como foi construído, a partir da modalidade "Entidades" do programa Minha Casa, Minha Vida. O tamanho dos apartamentos (cerca de 63 m²), a qualidade do empreendimento e, sobretudo, a participação dos moradores na totalidade do processo fazem dessa a principal experiência de conquista econômica desses 20 anos. Até agora...

No ABC, após um processo de ocupações, principalmente em Santo André, e atuação em comunidades de São Bernardo do Campo, Mauá e Diadema, o MTST tornou-se referência de luta e também de vitória com a construção ainda em andamento dos condomínios Santo Dias e Novo Pinheirinho, que atenderão 910 famílias. Na região de Campinas, na cidade de Sumaré, a ocupação Zumbi dos Palmares promoveu um processo de lutas memorável, que resultou na construção de 450 moradias para as famílias do MTST e quase 2.000 casas populares no bairro do Matão, além de inspirar uma luta histórica por moradia naquela cidade: a Vila Soma, ocupação ocorrida em 2011. O processo de estadualização tem seu auge em 2009, quando, mais uma vez, o MTST realizou um protesto em frente ao prédio onde morava o então Presidente Lula. O acorrentamento de cinco companheiros e companheiras para evitar o despejo em Sumaré surtiu efeito e, finalmente, o governo federal entendeu a necessidade do diálogo com o MTST.

Nos anos seguintes, entre 2009 e 2012, o MTST do Estado de São Paulo realizou diversas outras ocupações: Embu das Artes (Novo Pinheirinho do Embu, 2012), Taboão (Che Guevara, 2010), Hortolândia (Dandara, 2011), Santo André (Nova Palestina em 2011 e Novo Pinheirinho de Santo André, 2012).

São muitas as experiências vividas a partir das ocupações. Centenas de novos militantes, cozinhas comunitárias que forjam o protagonismo popular, cursos de formação política e organizativa, inúmeros travamentos de rodovias, ocupações de ministérios e outras formas de enfrentamento que, por si só, dariam outro livro. A verdade é que esse processo interno intenso de construção seria uma antessala, uma espécie de preparatório para o que viria à frente. Dentre os vários acontecimentos marcantes (como, por exemplo, a ocupação do Ministério das Cidades, em 2012, que durou nove dias), destacam-se as lutas contra os impactos dos megaeventos que ocorreram entre 2013 e 2014.

Nesse período, a luta também foi marcada pelo massacre do Pinheirinho, em São José dos Campos, no fatídico dia de 22 de janeiro de 2012. O que aconteceu mostrou para o Movimento a dimensão da luta pela moradia e a disposição – inclusive militar – dos governos conservadores em defender os interesses da especulação financeira e imobiliária, bases fundamentais do capitalismo brasileiro.

O enfrentamento aos impactos dos megaeventos, processo que teve no MTST um de seus principais atores, foi também um momento à parte na história do Movimento. A "batalha do Plano Diretor" e a ocupação "Copa do Povo", muito próxima à sede da abertura da Copa, são bons exemplos disso. Ademais, entre 2013 e 2014, o Movimento ocupou pela primeira vez um terreno de uma grande construtora, a Even. Também promoveu ocupações nas sedes das maiores construtoras do país, bem como da Secovi, o sindicato de construtoras. Nessas diversas ações, o conflito direto com o capital imobiliário e da construção civil somou-se ao enfrentamento já mais "tradicional" do MTST, contra o Estado em sua face segregadora. A partir de então, com um poder de mobilização crescente e direcionado à luta pelo direito à cidade de forma cada vez mais ampla – vide, por exemplo, a participação ativa do Movimento nas lutas contra o aumento de passagem e nos "rolezinhos", manifestações populares da juventude periférica contra o apartheid social nos shoppings de São Paulo – o MTST se configura como um protagonista da luta urbana[3].

---

3 LOCATELLI, Piero. Os novos protagonistas". Carta Capital, 10/06/2014. Disponível em: https://www.cartacapital.com.br/revista/802/os-novos-protagonistas-631.html

Vista aérea da Ocupação Povo Sem Medo
São Bernardo do Campo (SP)
Foto: Ricardo Stuckert

— MTST

MOVIMENTO AGLUTINADOR

O MTST tem uma forma relativamente simples de organização. Fundamentalmente, são três diferentes tipos de instâncias.

Existem os chamados coletivos políticos, que compreendem a coordenação nacional e as coordenações estaduais; os coletivos organizativos, responsáveis por atividades específicas nas ocupações, e os coletivos territoriais, que vão desde coordenações de ocupação, passando por núcleos em comunidades, até os chamados coletivos regionais. Foi a partir de sua direção que, bem antes das experiências narradas acima, o MTST iniciou um processo de diálogo com outros movimentos e organizações populares. Já em 2006, por exemplo, faziam-se reuniões com outras forças com o objetivo de criar uma plataforma comum entre movimentos sociais do campo e da cidade, sindicatos, estudantes etc. No campo popular e urbano, uma articulação a nível nacional se desenhava: A Resistência Urbana – Frente Nacional de Movimentos, uma tentativa de congregar movimentos populares urbanos que tivessem como princípios a ação direta e a autonomia perante partidos e governos.

A essa altura, meados de 2007, o MTST agregava uma boa diversidade de militantes atraídos pela potência da luta e que enxergavam no Movimento uma alternativa possível à pasmaceira vivida por boa parte da esquerda: de um lado, a adesão inerte ao projeto petista e, de outro, o sectarismo cego e improdutivo. Realizando jornadas de lutas anuais com vistas a combater o modelo mercantil de cidade e reivindicando políticas públicas para habitação popular e infraestrutura, a Resistência Urbana tornou-se o principal polo combativo dos movimentos populares urbanos desde então. Uma das mais intensas jornadas ocorreu em 2010, em torno da Campanha Nacional contra os despejos: foi a "Minha Casa, Minha Luta", em referência e contraponto ao limitado e contraditório programa social da era petista. Foram dezenas de travamentos de rodovias pelo país. A Resistência Urbana chegou a ser composta de mais de 20 movimentos populares. Atualmente, os movimentos mais atuantes da Frente são o próprio MTST, o MSTB (Movimento Sem Teto da Bahia) e as Brigadas Populares.

É a partir do crescimento do Movimento, no fim da década de 2000, que temos dois tipos de desdobramentos: uma maior participação do MTST nos processos de construção de unidade da esquerda e a nacionalização mais orgânica do Movimento.

Com status de um movimento combativo e independente, demonstrando na prática e também nos debates a importância da luta territorial e de sua articulação ao mundo do trabalho, o MTST pôde contribuir para um diálogo ainda mais amplo: o da tentativa de construir um projeto de unidade entre o movimento sindical e o campo popular. Entretanto, apesar da boa disposição de alguns setores naquele momento, o oportunismo de lideranças viciadas e burocratizadas foi responsável, mais uma vez, pelo fracasso dessa iniciativa. Não se pode ter tudo. E o MTST seguiu seu caminho sem deixar de se preocupar com a construção da unidade entre os que lutam. Afinal, sozinho, nenhum grupo, seja partido, sindicato, central ou movimento, será capaz de construir as necessárias mudanças em nosso país.

Mais recentemente, a Frente Povo Sem Medo tornou-se mais uma empreitada iniciada pelo MTST, construída "no quente" das lutas contra o ajuste fiscal e os retrocessos pretendidos pelos abutres do mercado financeiro. A Povo Sem Medo aponta o caminho das Reformas Populares, buscando construir um outro destino para as maiorias em nosso país, em diálogo franco e aberto com setores diversos, sem purismos abstratos, sempre na perspectiva da luta e da mobilização social.

Já a nacionalização do MTST sempre foi um horizonte colocado pela direção do Movimento. Objetivamente, no Brasil, não é possível constituir uma força política e social fundamentada na mobilização sem que exista uma atuação em regiões variadas do país. Evidentemente que a nacionalização de um movimento urbano demanda prioritariamente sua expansão para regiões metropolitanas. Assim, dois fatores convergiram: o objetivo estratégico de nacionalização por parte da direção do Movimento e a busca de vários coletivos por um movimento constituído e, especialmente, combativo e independente.

Voltaremos a falar da Povo Sem Medo, de seu desdobramento programático, o "Vamos!", e também da construção nacional do MTST nos últimos tempos.

Outro importante corte na história recente do MTST é reflexo de um importante corte na história recente do Brasil: o processo desencadeado a partir de 2013. A atmosfera de inegável descontentamento político e social, reforçada pelas grandes manifestações de junho daquele ano, inspiraram uma onda de ocupações por moradia na periferia de São Paulo. Somente no segundo semestre, foram mais de 50 ocupações espalhadas pelas zonas Sul e Leste da cidade, sendo a maioria delas não vinculadas a movimentos sociais.

"Aí vem junho de 2013 e mobilizações pelo país todo. Qual foi o recado deixado? Na nossa avaliação, foi que, quando o povo se mobiliza e vai paras as ruas, tem resultado. Afinal, a passagem abaixou. A partir de julho e agosto, começam a pipocar ocupações nas cidades brasileiras de forma espontânea. Não foram os movimentos que previram isso. Os movimentos foram levados, inclusive... Acontece que teve uma convulsão social e abriram-se as comportas das ocupações. Só na cidade de São Paulo são mais de 100 ocupações de julho de 2013 para cá."

(BOULOS, 2014)

O MTST finalmente conseguia romper as barreiras da repressão e da criminalização, e ocupar áreas no município de São Paulo, atingindo o "coração" da metrópole. Ao realizar, por exemplo, a ocupação Faixa de Gaza, uma autêntica faixa de terra localizada entre a favela de Paraisópolis e o bairro do Morumbi, um dos mais ricos da cidade, o MTST escancarou o que vinha denunciando há anos. A luta contra a cidade do capital consolidava-se, justamente no período que precedia os tão problemáticos megaeventos.

Em retrospectiva, fica claro como os anos anteriores, desde 1997, serviram como uma antessala para essa intervenção precisa na conjuntura. Porém, muitos que conheceram o MTST naquele cenário, mobilizando milhares de trabalhadores com um disciplinado e insistente "trabalho de toupeira", escavando silenciosa e cotidianamente, não poderiam supor que aquele caminho vinha sendo construído. Mas é que, na luta social, não basta ter uma "estratégia coerente", um "programa avançado" ou uma "predisposição revolucionária". É preciso unir os princípios ao trabalho real.

Com tudo o que foi apresentado até agora, uma coisa deve ficar evidente: o MTST é um movimento popular que tem como fundamento de sua existência a ocupação. Toda essa história foi construída a partir da lona preta e do suor coletivo. A ocupação, que é fruto da necessidade de um povo, torna-se o ambiente propício para que esse povo seja protagonista da luta política por uma cidade na qual o objetivo da vida não seja somente sobreviver.

Eis o começo dessa história.

A CONSTRUÇÃO
NACIONAL

2.

—— MTST

20 ANOS DE RESISTÊNCIA EM MOVIMENTO

Centenas de mobilizações com milhares de pessoas nas ruas, mais de 60 ocupações realizadas e mais de 30 organizadas e fortalecidas, milhares de unidades habitacionais produzidas, uma infinidade de travamento de vias e rodovias, diversas ocupações de órgãos públicos e empresas privadas e tantas outras ações.

Um olhar cuidadoso para a história do MTST mostra que o Movimento não é uma ferramenta estática de luta popular. Seu crescimento ao longo desses 20 anos só pode ser compreendido através de diversos fatores. Dentre eles, está a consolidação de uma metodologia de atuação articulando o trabalho de base e a dimensão territorial no espaço urbano. Além disso, é importante salientar a autonomia política e o horizonte de construção do poder popular, que foram aspectos determinantes para conquistas concretas na vida daquelas famílias que se dispuseram, ao longo desse tempo, a encarar a luta embaixo de um barraco de lona preta. Essas pessoas não mudaram apenas suas vidas, mas contribuíram para a história da resistência urbana no país.

De 1997 até o atual momento, por um lado, o Brasil passou por diversas crises; por outro lado, contudo, uma das estratégias utilizadas para a superação dessas crises foi o investimento de um volume de recursos nunca antes visto em urbanização e crédito imobiliário. Esses investimentos não foram suficientes para solucionar o problema da moradia, e embora tenham servido para melhorar pontualmente o acesso a bens e serviços, aprofundaram as desigualdades e a segregação nas cidades. As cidades, "fábricas de sem-teto", também se tornam o lugar onde a luta social acontece, onde a transformação é possível.

Tentaremos reconstruir essa história a partir das trajetórias que possibilitaram que a bandeira do movimento chegasse a cada região desse país, erguendo-se em cada um dos estados. Trata-se de um processo que se encontra em fase de expansão contínua, o que se deve, entre outros fatores, ao aprofundamento da crise da moradia e à recomposição das lutas e dos sujeitos pela reforma urbana nas cidades brasileiras.

—— MTST-SP

A COPA E A EXPLOSÃO DE OCUPAÇÕES E DE MOBILIZAÇÕES DE MASSA

A questão da moradia nas regiões metropolitanas do Brasil leva a população da periferia a ter poucas alternativas.

O ano de 2013 foi expressivo das contradições urbanas. Milhares de famílias em toda a região de São Paulo apostaram nas ocupações e na luta como saída para a crise da moradia. O povão, que não aceitava mais mudar para regiões cada vez mais distantes em busca de aluguéis mais baratos, que não aguentava mais morar de favor, esperando por anos a realização da promessa de um atendimento habitacional, optou pela tomada de terrenos vazios como forma de pressionar o poder público e disputar espaço com o mercado imobiliário. Exemplo disso é que, entre junho e agosto de 2013, somente no Grajaú, o bairro mais populoso de São Paulo, surgiram 14 novas ocupações[4].

Mais e mais comunidades passaram a procurar o MTST em busca de auxílio para organizar ocupações. E assim surgiram as ocupações Faixa de Gaza em Paraisópolis, Dona Deda[5] no Parque Ipê e Capadócia no Morro da Lua, as duas últimas no Campo Limpo, todas na Zona Sul paulistana.

Na região do M'Boi-Mirim, local em que o MTST organiza há anos um trabalho comunitário consistente, comunidades como Jardim Capela, Jardim Vera Cruz, Boulevard da Paz, Parque Novo Santo Amaro e Aracati, que vivem uma situação de acesso precário aos serviços públicos, não tardaram em aderir à proposta de uma grande ocupação na região. No dia 29 de novembro, entraram no terreno que mais tarde seria chamado de Vila Nova Palestina. Ao final do primeiro mês, a ocupação já contabilizava mais de 8.000 famílias. Era praticamente um novo bairro existindo em função da resistência e da luta pelo direito à moradia.

---

4 Em matéria publicada no site da Carta Capital em 30/08/2013, "Grajaú ocupado", há um perfil das ocupações que surgiram na região do Grajaú após os atos de junho de 2013.

5 Tia Deda (chamada de "tia" porque, na periferia, tia é a mãe de todo mundo) foi uma das mais obstinadas lutadoras do MTST desde a ocupação Chico Mendes. Infelizmente, faleceu em 2013. Todo o carinho à memória da Tia Deda!

⎯⎯ A COPA DO MUNDO
É NOSSA!

O ano de 2014 foi o ano de Copa da FIFA e de enfrentamento real à lógica da cidade mercadoria.

Cartaz da campanha
"Copa Sem Povo: Tô na Rua de Novo".

Mas a luta começou anos antes. Já em agosto de 2011, o MTST ocupava o Ministério dos Esportes, em Brasília e, em abril de 2012, as obras do Itaquerão. Essa última ocupação foi fruto da Jornada Nacional de Lutas da Frente de Resistência Urbana, formada pelo MTST e outros movimentos de moradia do país para se contrapor aos crimes da Copa. Foram realizadas ações nas cidades-sede de São Paulo, Rio de Janeiro, Belo Horizonte, Curitiba, Fortaleza, Cuiabá, Brasília e Manaus[6]. Com o mesmo objetivo, foi realizado, em junho de 2013, um ato em conjunto com o Comitê Popular da Copa.

Em maio de 2014, quando a Frente de Resistência Urbana anunciou sua nova jornada de lutas com o tema "Copa sem Povo, tô na Rua de Novo", já estava dado para os movimentos que, além de denunciar as irregularidades relacionadas à Copa, era necessário cobrar dos governantes conquistas para os trabalhadores e trabalhadoras da periferia.

O exemplo de Itaquera é ilustrativo: após o anúncio da Copa da FIFA no Brasil, de janeiro de 2008 até junho de 2014, o valor do metro quadrado subiu 166,1%, saindo de R$ 1.400,00 para R$ 3.726,00, de acordo com o índice Fipe/Zap. E foi por isso que, encurraladas pelo aumento expressivo do aluguel, e inconformadas com o fato de terem de se mudar do lugar onde cresceram, famílias organizadas pelo MTST ocuparam, no dia 3 de maio de 2014, um terreno a pouco mais de 3 km da Arena Corinthians. O terreno de 150 mil m^2, que estava abandonado há mais de 20 anos, era propriedade de uma grande empreiteira e, apesar de estar localizado em área urbana, pagava imposto territorial rural no valor de R$ 57,00 anuais. A ocupação recebeu o nome de Copa do Povo, e virou símbolo de resistência da população aos avanços do setor imobiliário na região. No dia 9 de junho, o governo federal, pressionado pelo verdadeiro formigueiro ao lado da Arena que teria a abertura do Mundial, anunciou o atendimento das famílias da ocupação Copa do Povo. Também foram atendidas as propostas de mudança no Minha Casa, Minha Vida, que seriam incorporadas a partir do MCMV 3, e foi criada a Comissão de Mediação de Conflitos Fundiários Urbanos, pauta também da pressão das mobilizações organizadas.

---

6 http://www.mtst.org/index.php/37-mtst/destaques/404-resistencia-urbana-contra-os-crimes-da-copa

A BATALHA DO

PLANO DIRETOR DE SÃO PAULO E O AVANÇO DAS OCUPAÇÕES

Os meses de maio e junho de 2014 foram de intensas mobilizações. Além de todas as lutas relacionadas ao período da Copa do Mundo, foi nesse período que aconteceram as votações da revisão do Plano Diretor da Cidade de São Paulo.

A proposta apresentada pelo governo municipal, apesar de muitas deficiências, continha alguns importantes avanços, como a ampliação do número de ZEIS (Zonas Especiais de Interesse Social), a demarcação destinada para habitação de interesse social e a regulamentação de instrumentos previstos no Estatuto das Cidades para combate à especulação imobiliária. Para vencer a barreira da bancada das construtoras, que tentou retardar ao máximo a votação, o Movimento optou por fazer uma ocupação na Câmara. Foram 10 dias com barracos na porta do legislativo de São Paulo, atos quase diários e confrontos com a polícia. Mas, ao final desse período, o projeto foi aprovado com a manutenção dos avanços.

Foi nesse cenário que realizamos, ainda em 2014, importantes ocupações que exploraram as contradições das grandes metrópoles do país. E nada melhor que a região do Morumbi para expressar esse processo. A partir da iniciativa de lideranças das comunidades Vila Praia, Olaria e Viela da Paz, surgiu a ocupação Portal do Povo. A ocupação aconteceu em um grande terreno de uma construtora onde outrora havia barracos da comunidade Vila da Paz que foram despejados.

Em outro terreno do bairro, onde havia também uma favela, surgiu a ocupação Chico Mendes. Por estar localizada ao lado de um condomínio de luxo da região, os moradores da ocupação sofreram desde a primeira noite todo tipo de ameaças e agressões, que só diminuíram após um ato de repúdio realizado no hall do condomínio.

O ódio e o preconceito também se manifestaram em Carapicuíba. A ocupação Carlos Marighella, realizada em um terreno ao lado da Granja Viana, bairro nobre da região metropolitana, foi alvo de diversas ações da polícia, perseguições às lideranças, ameaças com arma de fogo e até a construção de um muro na rua que dava acesso à ocupação. Apesar de tantas agressões, as famílias permaneceram e resistiram firmes.

Também em 2014 iniciou-se uma série de mobilizações reivindicando outros direitos básicos. Foram ocupadas a Secretaria de Saúde, numa reivindicação por mais acesso e qualidade nos serviços; a Secretaria Estadual da Segurança Pública, para denunciar o extermínio da juventude pobre e preta nas periferias; a sede do Sindicato das Empresas da Construção Civil de São Paulo, em repúdio à ação das construtoras no processo de especulação imobiliária; as sedes das maiores construtoras do país (Odebrecht, Andrade Gutierrez e OAS); e a sede da Agência Nacional de Telefonia e das operadoras de celular, com a exigência de maior acesso ao serviço de telefonia móvel nas periferias.

Em dezembro do mesmo ano, deu-se a concretização de uma jornada que havia começado em 2005 com a ocupação Chico Mendes: era inaugurado o Condomínio João Cândido A. Projeto executado com verba do Programa Minha Casa, Minha Vida Entidades, era também o maior apartamento construído pelo programa no país: 63 m² e 3 quartos – 24 m² maior que o tamanho mínimo exigido na época.

O ano de 2015 também foi marcado por grandes ocupações em São Paulo. Foram quatro no total, reunindo dezenas de milhares de pessoas: Oziel Alves, em Mauá, com 4 mil famílias; Dandara, na Zona Leste de São Paulo, com 3,5 mil famílias; Maria Bonita, em Itapecerica da Serra, com 2 mil famílias; e Paulo Freire, em Embu das Artes, com 4,5 mil famílias. Guarulhos e São Bernardo do Campo também voltaram a receber grandes ocupações do MTST em 2017, recolocando a questão da moradia na ordem do dia. E enquanto você lê este livro, provavelmente existem algumas centenas de sem-teto reunidas, ocupando um terreno ou planejando uma nova ocupação em algum lugar de São Paulo.

Ocupação Câmara dos Vereadores – São Paulo (SP) – junho de 2014
Fotos: Mídia Ninja

—— MTST-DF

A RESISTÊNCIA QUE PULSA NA CAPITAL DO PAÍS

A atuação do MTST no Distrito Federal era uma necessidade antiga: um movimento popular cuja essência é a mobilização e a pressão junto ao Estado para garantir direitos sociais tem que se aproximar do centro do poder político.

Assim, o MTST chegou à capital do país no ano de 2009 e realizou a primeira ocupação em julho do ano seguinte, em Brazlândia, cidade-satélite com significativos índices de pobreza e segregação. Com 300 famílias, a ocupação Bela Vista inaugurou o ciclo de ocupações que faria do DF um dos coletivos mais pulsantes de resistência do MTST nacionalmente.

Em 2011, foi a vez da Ocupação Gildo Rocha, na BR 070, que contou com 250 famílias. No mesmo ano, o MTST chega à Planaltina, outra importante cidade-satélite, contribuindo na organização de uma ocupação já existente. Após a bandeira ser levantada com o apoio e aprovação das famílias em assembleia, decidiu-se batizar o local de Acampamento Esperança de um Novo Milênio.

Em 2012, fruto de uma resposta sincronizada do MTST ao massacre do Pinheirinho em São José dos Campos, o Movimento realiza a ocupação Pinheirinho do DF, na cidade de Ceilândia[7], e no ano seguinte ocupa um esqueleto de shopping localizado em Taguatinga. O caldo dessas ocupações alimentou o enfrentamento realizado pelo MTST contra os impactos dos megaeventos na capital: na abertura da Copa das Confederações, em junho de 2013, o Movimento realizou um travamento que paralisou todo o Plano Piloto, como é conhecido o perímetro que compreende Brasília. A consequência não poderia ser outra: forte repressão, incluindo prisões de militantes.

Já em 2015, ocorrem diversas ocupações, sendo cinco delas simultâneas: Rosa Luxemburgo (Taguatinga), Anita Garibaldi (Recanto das Emas), Maria da Penha (Planaltina), Olga Benário (Samambaia) e Dorothy Stang (Brazlândia), totalizando mais de 1.500 famílias. A Maria da Penha foi realizada às margens da BR 020, no quilômetro 19. Foram oito dias de ocupação, e a desocupação se deu com negociação de auxílio excepcional para as famílias. Após o não cumprimento do acordo pelo governo do Distrito Federal, o MTST voltou a ocupar o mesmo terreno na BR 020 no dia 24 de julho de 2015. A ocupação se tornou "Maria da Penha Resiste!". Também é de 2015 a Ocupação 26 de Julho, em Samambaia, com 1.800 famílias. Em 2016, foi a vez da Esperança de um Novo Milênio, também em Samambaia, com 250 famílias, e a 15 de Abril, em Ceilândia, com

---

7 Uma curiosidade um tanto cruel sobre a Ceilândia é o significado da sigla inicial "CEI": Campanha de Erradicação de Invasões. Foi um processo massivo de despejos e remoções de favelas (formadas por famílias de operários da construção da capital federal) feito por um governo biônico a partir de 1970. A "cidade dos despejados" é a maior cidade-satélite do Distrito Federal.

200 famílias. Em 2017, ocorreu a Ocupação do Pôr do Sol, também em Ceilândia, com 120 famílias.

Sem esse processo de resistência intenso, que expõe as contradições de Brasília enquanto cidade planejada, também não seria possível romper o isolamento territorial da capital federal e construir lutas relacionadas à defesa dos direitos e à democratização das tomadas de decisão que ocorrem no Distrito Federal. Assim, o MTST tornou-se um dos mais atuantes e combativos movimentos populares no coração político do Brasil, arrancando importantes conquistas, como o loteamento para 110 famílias em Ceilândia, onde as moradias serão construídas por mutirão.

Manifestação contra a PEC 55 – Brasília (DF) – novembro de 2016
Foto: Naiara Pontes/Mamana Foto Coletivo

Ato "Leblon vai virar Palmares" – Rio de Janeiro – novembro de 2014
Foto: Mídia Ninja

Greve geral – Distrito Federal – abril de 2017
Foto: Mídia Ninja

Marcha de 23 km – Ocupação Povo Sem Medo
São Bernardo do Campo – outubro de 2017
Foto: Tiago Macambira

Ato para aprovação do Plano Diretor – São Paulo (SP)
Foto: Mídia Ninja

Assembleia Ocupação Povo Sem Medo – São Bernardo do Campo (SP) – 2017
Foto: Tiago Macambira

Ato contra a Reforma da Previdência – PE – março de 2017
Foto: Eric Gomes

Jornada Nacional da Resistência Urbana – São Paulo (SP) – 2014
Foto: Mídia Ninja

Assembleia Ocupação Povo Sem Medo – São Bernardo do Campo (SP) – 2017
Foto: Tiago Macambira

Ocupação Povo Sem Medo – São Bernardo do Campo (SP) – 2017
Foto: Tiago Macambira

Jornada Nacional da Resistência Urbana – setembro de 2010 – Campinas (SP)
Foto: João Zinclar

Ocupação Novo Pinheirinho – Santo André (SP) – 2013
Foto: Adonis Guerra

——— MTST-RR

CONTRA A VIOLÊNCIA QUE MATA, A LUTA QUE REINVENTA

O MTST chegou ao Estado mais ao norte do país no ano de 2008, através da articulação de militantes comprometidos com a luta comunitária.

Em abril de 2008, duas mil famílias realizaram a Ocupação Conquista, às beiras da BR 174, importante rodovia que liga Manaus (AM) a Boa Vista (RR) e acaba na fronteira com a Venezuela. Em agosto do mesmo ano, a luta avançou com a Ocupação São Germano, em uma área localizada na BR 210, que liga Roraima ao Amapá. O grande destaque desse processo foi a marcha realizada em outubro de 2008, que resultou em uma ocupação da Câmara de Vereadores, um acampamento na frente do Palácio do Governo e uma ocupação da Prefeitura, a qual arrancou uma reunião com o então Prefeito Iradilson Sampaio. Depois de uma peregrinação sem solução, foram 26 dias de acampamento na Praça do Centro Cívico em Boa Vista. Então, finalmente, a Prefeitura, juntamente com a Superintendência do Patrimônio da União, órgão que administra os imóveis federais, recebeu o Movimento para negociar. Um compromisso foi firmado: as famílias seriam inseridas em um projeto habitacional. Enquanto aguardavam a obra, as famílias receberam autorização para acampar em um terreno na BR 174. Estava formado o acampamento Augusto Mariano.

Após a conquista da maior parte das famílias, o povo que permaneceu no acampamento Augusto Mariano foi surpreendido por um mandado de reintegração de posse em 2013. A resposta do MTST? Ocupação da prefeitura de Boa Vista para garantir a moradia de mais de 150 famílias! Em 2014 e 2015, após muita luta, o MTST arrancou importantes conquistas em projetos habitacionais e também com a liberação de lotes, beneficiando mais de 300 famílias.

Infelizmente, sabemos que na Região Norte do país a criminalização das lutas sociais ocorre por meio do assassinato de lideranças importantes. O companheiro Walmir Lopes, militante do MTST-RR, foi morto ainda em 2012. Desde então, vários militantes sofreram ameaças por parte de setores que não enxergam a luta pela moradia com nenhuma simpatia. Mas não se pode deter a primavera. Novas lutas virão!

—— MTST-RJ

ÁGUA MOLE EM PEDRA DURA

A construção do MTST no Rio de Janeiro sempre foi um objetivo estratégico. Trata-se da segunda região metropolitana do Brasil em termos geoeconômicos. Isso para não falar do enorme alcance simbólico que a cidade e a região possuem.

Construir e demonstrar força política na antiga capital federal e, de maneira geral, no Estado que apresenta um PIB maior do que o de muitos países (são cerca de R$ 400 bilhões!) é uma tarefa extremamente difícil. Além de ter enorme importância econômica e, portanto, ser uma região altamente estratégica para a reprodução do capital, o Rio de Janeiro possui uma realidade agressivamente atípica no que diz respeito à formação do seu território e às forças sociais que atuam nele. Em um cenário tão complexo, qualquer vitória torna-se uma grande vitória, cada passo vale por um quilômetro.

No fim da década de 1990, em conjunto com outros movimentos, o MTST teve atuação destacada na Região Oeste da capital fluminense, chegando a obter uma grandiosa conquista na região de Nova Sepetiba. Passada essa experiência, conclui-se que ainda não havia maturidade política e organizativa para levar adiante o projeto de construção de um movimento urbano. As dificuldades com forças sociais diversas que atuavam no território, unidas à predisposição à repressão por parte do Estado, fizeram o Movimento recuar, ainda que mantendo em mente a retomada do trabalho.

De forma real e consistente, esse processo só seria retomado mais adiante, a partir de 2012, já com o Movimento consolidado em São Paulo e em outras regiões, através de um pequeno coletivo que acompanhava as ações do MTST em outros estados e, ao mesmo tempo, fazia a leitura de como reproduzir os métodos na realidade fluminense. Acompanhando uma definição da coordenação nacional do Movimento, o coletivo do Rio de Janeiro se expandiu e, em 2014, realizou sua primeira ocupação na região metropolitana: Zumbi dos Palmares, na periferia de São Gonçalo, segunda maior cidade do estado do Rio de Janeiro e uma das mais precárias e abandonadas cidades metropolitanas o país. Com apenas 12 dias, a mobilização de mais de 1.000 famílias sem teto teve um enorme significado: o MTST estava de volta ao Rio de Janeiro, agora para criar raízes. No ano seguinte, foi a vez de Niterói, cidade que ostenta ótimos índices de qualidade de vida para uma ampla classe média (cerca de 40% de sua população), ao mesmo tempo em que oculta a tragédia não superada do Morro do Bumba, quando as intensas chuvas, somadas à completa ausência de infraestrutura, resultaram em centenas de mortes e destruição espalhadas por várias comunidades. Milhares de famílias ficaram desabrigadas, uma verdadeira multidão sem teto. A data daquele evento traumático foi preservada pela Ocupação 6 de Abril – nome que será passado para o futuro condomínio a ser construído na região do bairro Sapê.

Entre os anos de 2016 e 2017, o MTST assumiu como desafio central a continuidade da construção do Movimento na capital fluminense. A empreitada será difícil, como deram mostra a brutal repressão pela Unidade de Polícia Pacificadora à ocupação realizada em conjunto com moradores da Favela da Skol, no Complexo do Alemão, em outubro de 2016, e a desarticulação precoce de uma ocupação de terreno em São Gonçalo, por causa de ameaças vindas de grupos milicianos. Mas, como diz a sabedoria popular: água mole em pedra dura...

Assembleia ocupação Zumbi dos Palmares – São Gonçalo (RJ) – novembro de 2014
Foto: Mídia Ninja

━━ MTST-TO

DO NORTE AO CENTRO-OESTE, A CONSTRUÇÃO NACIONAL SE AMPLIA

O MTST surge no Tocantins em 2011, a partir da junção de lideranças comunitárias que procuraram o Movimento para fazer parte da sua construção.

Atualmente, o estado conta com uma ocupação que existe desde 9 de março de 2013, mas que já esteve em dois terrenos distintos. O maior marco para o MTST no Tocantins foram os protesto de junho de 2013, dos quais derivou a conquista de uma área para o MTST e outras entidades já existentes no município de Palmas, capital do estado. Essa conquista foi fruto da mobilização popular nas ruas. Atualmente, o MTST-TO luta pelo momento final da conquista de lotes para 400 famílias.

A luta mexe com a consciência do povo. De acordo com Wilson Gomes, membro da coordenação nacional do MTST pelo Tocantins:

"O processo de luta foi moldando outra mentalidade acerca do movimento de moradia. A visão de mundo é transformada, e vem a compreensão de que só se chega à vitória com lutas, e de que sem-tetos não são só aqueles que moram em situação de rua. Eles já conseguem entender que eles também são sem-tetos."

MTST-CE

DO TRABALHO COMUNITÁRIO ÀS OCUPAÇÕES DE MASSA

O Ceará é um estado com uma trajetória muito rica de organização popular. Uma das experiências locais mais significativas foi a do Movimento dos Conselhos Populares (MCP), surgido no ano 2000, que construiu processos de organização comunitária em mais de 70 bairros.

Percebendo a necessidade de se articular nacionalmente, o MCP aderiu à construção da Frente de Resistência Urbana em 2007.

Em plena Copa do Mundo de 2014, no mesmo 4 de julho em que jogaram Brasil x Colômbia, ocorre a primeira ocupação do MTST no Ceará, a Copa do Povo, em Fortaleza. A ocupação reuniu 2.500 famílias e foi vitoriosa após 10 dias de negociação, conseguindo 400 unidades habitacionais e desocupando a área 12 dias depois. A luta contou com um emblemático travamento no dia do encontro dos BRICS em Fortaleza.

A "Bandeira Vermelha" do movimento também deu nome à segunda ocupação do MTST realizada no Ceará, desta vez no município de Maracanaú, em 19 de março de 2015. A área era fruto de grilagem, o que não impediu que, no oitavo dia, fosse realizada uma brutal desocupação, com utilização, inclusive, de uma milícia privada formada por 70 homens armados. Em resposta, e também como forma de denúncia do abandono da gestão pública em relação aos direitos e serviços, o movimento ocupou uma creche desativada na cidade. A repercussão da violência e a resistência abriram um processo de negociação que garantiu o compromisso de construção de 600 unidades – 300 por parte do Governo do Estado e 300 da Prefeitura de Maracanaú – no empreendimento Orgulho do Ceará, realizado com recursos do Programa de Arrendamento Residencial, o FAR.

A vida na periferia, no entanto, muitas vezes traz desafios que não dizem respeito apenas ao direito à moradia, mas ao próprio direito de existir. Prova disso foi o ocorrido no dia 12 de novembro de 2015, na região de Messejana, distrito de Fortaleza. Onze jovens foram mortos na maior chacina da história do Ceará. Em 20 de novembro do mesmo ano, no Dia da Consciência Negra, o MTST ocupou uma área no Quilômetro 11 da BR 116. A ocupação foi batizada de 12 de Novembro, para que a barbárie ocorrida dias antes não fosse esquecida, num ato de denúncia por parte da juventude negra. Essa denúncia já é uma das pautas constantes da Caravana da Periferia, articulação de organizações que mobiliza as comunidades de Fortaleza. A ocupação, no entanto, foi vítima de um despejo forçado no dia seguinte.

Exatos seis meses depois dessa última ocupação, uma nova tomada aconteceu, no dia 20 de maio de 2016. Essa se tornaria a maior ocupação do MTST no estado, a Povo Sem Medo, que aconteceu num dos bairros mais pobres da capital, Bom Jardim. Foram mais de 6 mil famílias. A ocupação permanece até o presente no terreno, e conquistou uma vitória de 3.400 unidades, 400 delas distribuídas nos conjuntos habitacionais Alameda das Palmeiras e Orgulho do Ceará, e as outras 3 mil unidades a serem construídas com recursos municipais. Isso porque, junto com o ajuste fiscal e o golpe, que impactaram diretamente nos recursos destinados à política habitacional, tornou-se urgente a discussão de estratégias municipais e estaduais para a garantia do acesso à moradia, e a Ocupação Povo Sem Medo serviu como gatilho para que esse debate fosse feito em Fortaleza.

Reflexo do golpe tem sido o aprofundamento da perseguição da polícia às ações dos movimentos sociais. O MTST-Ceará vivenciou isso na sua última ocupação, no dia 21 de abril de 2017. Houve apreensões arbitrárias de veículos, militantes detidos sem justificação e outras ações ilegais. Essa ocupação teve como objetivo cobrar os compromissos firmados pela Prefeitura de Maracanaú e denunciar a grilagem de um terreno público por parte de uma empresa de ônibus ligada a Jacob Barata, conhecido como o "Rei do Ônibus". Envolvido em escândalos de corrupção, Barata foi preso pela Polícia Federal no dia 2 de julho de 2017.

Mesmo com a crescente criminalização, entretanto, o Movimento avança, e em pleno 2017 conseguiu entregar mais de 400 moradias. A luta só cresce!

Ato pelo Fora Temer – Fortaleza (CE) – 2016
Foto: Coletivo Nigéria

—— MTST-PR

A CONSCIÊNCIA TERRITORIAL COMO FATOR DE TRANSFORMAÇÃO NO BRASIL

O agrupamento que daria forma ao MTST no Paraná surge da atuação no movimento comunitário desde 2007, como vimos acontecer em Roraima, Tocantins e Ceará.

A lógica era acompanhar comunidades que já existiam, fortalecer resistências a despejos, criar vínculos com os territórios a partir da defesa do direito à moradia e estimular processos organizativos territoriais das classes populares. Em 2010, houve o primeiro contato com a Frente de Resistência Urbana, a partir de convite da coordenação do MTST, mesmo que até aquele momento o coletivo paranaense ainda não tivesse dado nome à organização. Isso só viria a acontecer na virada de 2010 para 2011, com o batismo do Movimento Popular por Moradia.

Em maio de 2011, o MPM participou do Encontro Resistência Urbana realizado em Brasília. Ali, reafirmou-se a convergência na construção pela base e numa concepção geral de sociedade. Ficou clara a afinidade entre o que o MPM propunha e o que fazia o MTST. A partir do contato com o MTST e desse intercâmbio de experiências, foi possível realizar a primeira ocupação, que ocorreu no dia 28 de setembro de 2012. A ocupação recebeu o nome de Nova Primavera. Até o momento, foram quatro ocupações coordenadas por esse grupo. Em 2015, foram realizadas as ocupações 29 de Março e Tiradentes. Em 2016, foi a vez da ocupação Dona Cida, batizada em homenagem a uma companheira ocupante que morreu esperando por um exame na fila do SUS para tratar de um câncer. Paulo Bearzoti Júnior destaca o papel do MTST:

"No Brasil como um todo, os movimentos por moradia, os movimentos por território nos bairros e periferias das grandes cidades são muito importantes. O Brasil se urbanizou enormemente, mas foi uma urbanização excludente, que a ideologia vai dizer que é caótica, mas que tem uma lógica: a lógica da exclusão. Então, atuar nesses bairros, nessa periferia, é fundamental para o processo de transformação da sociedade brasileira. De algum modo, a revolução brasileira será o cerco que a periferia fará à cidade incluída. E o MTST, os movimentos por moradia são essenciais nesse processo. O MTST demonstra uma determinação militante muito grande, um senso de consequência entre sua militância, uma capacidade de organização notável. Tudo isso fez com que o Movimento tivesse importantes conquistas em mais de um local, intermediando a construção de condomínios, agregando uma espécie de pensamento crítico, estratégico sobre questões do Brasil, da sociedade, do capitalismo, questões até internacionais. Isso é algo que nem sempre acontece no movimento popular. O MTST desenvolveu ainda uma pedagogia junto à população, que, participando do Movimento, se politiza de maneira significativa. O MTST, sem a exclusão de outros movimentos, pela organização, pela determinação militante, pelo pensamento estratégico, pela pedagogia, pela inclusão na luta, ofereceu um salto de qualidade na luta política, e é por isso que o Movimento também é tão respeitado na esquerda e é um referencial tão forte para todas as lutadoras e lutadores sociais".

Ocupação Nova Primavera – Curitiba (PR) – 2014
Foto: Gregório Bruning

MTST-MG

DO AGRÁRIO AO URBANO E A IMPORTÂNCIA DA LUTA PELA TERRA NAS CIDADES

A entrada do MTST no Estado de Minas Gerais não se deu pela capital, mas por uma cidade igualmente relevante do ponto de vista da luta pela moradia: Uberlândia.

A cidade tem um histórico de ocupações que, desde a década de 1990, se intensificaram e foram conformando verdadeiros bairros. Essa intensificação contribuiu para modificar aos poucos as características de muitos movimentos e organizações que historicamente se vincularam à luta pela terra, muitos deles migrando da luta pela reforma agrária para a construção da resistência pela reforma urbana. Em 2011, houve um marco significativo nesse processo: a ocupação do CEASA, que envolveu 5.000 famílias sob a bandeira de movimentos sem-teto. Parte das famílias dessa ocupação formou, no início de 2012, a Ocupação do Glória, no bairro Élisson Prieto, em área da Universidade Federal de Uberlândia.

Em 2013, fruto da conjuntura nacional e das marcantes contradições locais, ocorreu um "boom" de ocupações e de luta pela moradia, com quase 20 mil famílias em acampamentos. Nesse momento, constituiu-se o Fórum pela Luta Urbana, reunindo diversos movimentos de luta por moradia e pela terra, e com importante atuação da Comissão Pastoral da Terra. Entendendo a importância de produzir articulação entre o local e o nacional, o Fórum decidiu tentar romper a dimensão regional e compor a Frente de Resistência Urbana, em fevereiro de 2015.

Desse processo de articulação, deu-se a formação do MTST-MG, no fim de 2015. Sua atuação inicial foi no sentido do fortalecimento da luta pela regularização fundiária da Ocupação do Glória. O ganho organizativo a partir daí culminou na assinatura do Decreto do Governo Federal autorizando permuta de áreas, o que possibilitou a regularização do Glória e, posteriormente, a doação da área pela Universidade Federal de Uberlândia ao Governo do Estado de Minas Gerais. Essa vitória só foi possível pela mobilização das 2.400 famílias que vivem ali e por meio de uma série de protestos, tendo como um dos momentos mais emblemáticos a ocupação da reitoria da Universidade Federal de Uberlândia (UFU).

A luta em Uberlândia ganhou novo fôlego em novembro de 2016 com a realização da ocupação Fidel Castro, que existe até hoje e organiza cerca de 700 famílias.

—— MTST-GO

A FORMAÇÃO POLÍTICA E A LUTA QUE NÃO TEM FRONTEIRAS

A luta pela moradia não tem fronteiras, mesmo que se expresse em cada cidade de forma diferente, a partir da maneira como a desigualdade se expressa em cada território.

A experiência do MTST no estado de Goiás é exemplo disso. Foi a construção do movimento em Brasília, o investimento em formação política e trabalho de base que garantiu que militantes saídos do chão das ocupações do DF pudessem levar a bandeira do Movimento a mais este estado do Centro-Oeste, no ano de 2014.

O histórico recente do estado de Goiás é marcado por diversas ocupações, mas também por uma forte repressão à luta popular, com despejos violentos. Mas, diante de tanta desigualdade, não é possível resolver o problema da moradia com repressão, porque as famílias são obrigadas a resistir e exigir a garantia do direito constitucional de ter onde morar.

Foi nesse sentido, e após meses de organização, que, em 16 janeiro de 2015, famílias sem-teto ocuparam a estrutura de uma maternidade abandonada em Aparecida de Goiânia, segundo maior município do Estado. A ocupação contou com 120 famílias, mesmo diante do medo, ainda muito presente, causado pelo Massacre do Parque Oeste Industrial. Esse episódio traumático, ocorrido em 2002 por ocasião do despejo da ocupação Sonho Real, chegou a ser comparado ao Massacre de Eldorado dos Carajás, e resultou em centenas de feridos, 20 desaparecidos e dois mortos. A ocupação de 2015 não poderia receber outro nome: Sonho Real Vive!

Governador, justiça, prefeito e polícia

Quadrado mágico da malícia

Um governador que prometeu e não cumpriu

A justiça que decretou despejo hostil

Um prefeito que poderia e não fez

A polícia que efetivou a ação com insensatez

Empresários inadimplentes, mas muito ricos

Proletários mortos, desabrigados e feridos

Empregadas, catadores de papel, garis

Operários, lavadeiras viviam ali

Um local inabitável transformado em moradia

Agora um bairro, agora cheio de vida

Alegria, cedo ou tarde pagariam por essa ousadia

A juíza a desocupação exigia
Barricadas montadas pelos moradores
Pra chamar a atenção, mas dos bastidores
Preparada a operação batizada "inquietação"
Tensão... Ninguém vai dormir, não!
E os guerreiros das ruas de barro vermelho
Faziam dos quilombolas seu espelho
(...)Toda rebeldia tem seu preço
Onde a terra vale muito mais que vidas
Sofremos com o triunfo dessas injustiças.

Trecho de "Sonho Real", do grande rapper GOG.
Álbum *Aviso às gerações*, 2006.

A Sonho Real Vive! também foi despejada, mas a luta continuou. Em 5 de julho de 2016, ocorreu a segunda ocupação do MTST em Goiás, realizada no Conjunto Santa Fé, contando com 120 famílias. A violência não parou a luta, e a resistência garantiu que 93 famílias fossem assentadas. As negociações em torno da ocupação do Santa Fé conquistaram ainda um terreno de 8.350 m² e um termo de cooperação técnica com a prefeitura para construir, ali, 166 unidades habitacionais.

O ano de 2016 seguiu sendo um ano de resistência até o último dia, e foi em 31 de dezembro de 2016 que surgiu a ocupação Fidel Castro Presente!, no Conjunto Vera Cruz II, antigo centro de Goiânia. A Fidel Castro começou com 35 famílias, mas logo já eram 178 famílias construindo uma nova história de resistência. Com seis meses de ocupação, foram conquistados o título de propriedade e um termo de cooperação técnica. A ocupação permanece na área, construindo esperança.

O MTST em Goiás segue na peleja e tem como um dos objetivos futuros, além de continuar na trajetória de conquistas por moradia, construir um centro de formação que sirva de referência para o movimento no Centro-Oeste do país.

Rogério, militante vindo da base, diretamente envolvido na construção do MTST em Goiás, fala com orgulho:

"O MTST me ofereceu uma oportunidade de ouro, me ofereceu curso de formação política, onde aprendi o que é a mais-valia, como os patrões adquirem suas riquezas, que na verdade foram tiradas dos outros. Então encontrei na primeira manifestação de rua que eu tinha a oportunidade de expor minhas revoltas contra os poderosos, porque eu não estava sozinho. Foi quando ocupamos o Palácio dos Buritis, palácio do governador do Distrito Federal, em 2012".

Ocupação Sonho Real Vive – Goiânia (GO) – 2015
Reprodução: Internet

— **MTST-RS**
A ORGANIZAÇÃO COMUNITÁRIA E A LUTA CONTRA O ESTADO VIOLADOR

O MTST Rio Grande do Sul é fruto do processo de resistência às remoções forçadas da Copa do Mundo FIFA 2014.

Assembleia – Ocupação Povo Sem Medo – Porto Alegre (RS) – setembro de 2017
Foto: Douglas Freitas

Passada a Copa e as eleições nacionais, aconteceu em São Paulo uma ampla e representativa reunião da Frente de Resistência Urbana. Dessa experiência, configuraram-se alguns territórios de base organizada na cidade de Porto Alegre em torno da resistência às remoções forçadas e do direito à moradia digna.

Em 2014, estouraram diversas ocupações não organizadas na cidade. Os investimentos em uma política urbana focada no alargamento de vias e em grandes obras causou um aumento nos preços da terra e nos aluguéis. Sem condições para pagar aluguel ou adquirir um imóvel próprio, e diante de uma política sistemática de expulsão de famílias pobres das áreas mais centrais de Porto Alegre, as ocupações se tornaram a solução para muitas famílias.

Em 6 de novembro de 2015, o MTST-RS realizou uma ocupação na periferia de Porto Alegre, Zona Leste, a 15 km do centro histórico da capital. A área pertencia à Cooperativa Nacional de Habitação Popular e tinha como destino a construção de um empreendimento imobiliário, que nunca foi realizado. A Coordenação Estadual do MTST fez um estudo urbanístico prévio, demonstrando que mais de 800 moradias populares poderiam ser construídas somente naquela área, contrapondo, assim, a atuação da prefeitura de José Fortunatti (PDT), que, em seis anos, entregou menos de duas mil moradias em toda a cidade.

A ocupação, que mobilizou moradores da Vila Dique, da Vila Laranjeira e das Ocupações Progresso e Império, regiões da Zona Leste, foi duramente reprimida pela Polícia Militar do governo José Sartori (PMDB). Foram 14 horas de intensa resistência e negociações. E, embora a reintegração tenha sido efetivada, as famílias seguiram organizadas em núcleos nas suas vilas e ocupações de origem, transformando-se em referências de organização coletiva para novas lutas na periferia de Porto Alegre.

Outro momento de resistência importante se deu em agosto de 2016, quando o MTST, junto com o Movimento Nacional de População de Rua (MNPR e o Movimento de Luta nos Bairros, Vilas e Favelas (MLB) ocuparam por três semanas o Departamento Municipal de Habitação de Porto Alegre com moradores de diversas ocupações da cidade. A ocupação do DEMHAB, além de uma dinâmica intensa de atividades, teve como objetivo denunciar a política de remoções da prefeitura e exigir o cumprimento da pauta de reivindicações, dentre as quais estavam a garantia do aluguel social para a população em situação de rua, alternativas para ocupações urbanas, a continuidade do Minha Casa, Minha Vida e o fim da política de despejos.

Em agosto de 2017, os núcleos formados a partir da primeira ocupação ocuparam um grande terreno na Zona Norte da cidade, vetor de crescimento da especulação imobiliária em Porto Alegre. A ocupação Povo Sem Medo de Porto Alegre reúne 600 famílias e promete ser um marco na luta pelo direito à cidade no Sul do país.

──── **MTST-PE**
A AUTO-ORGANIZAÇÃO DAS MULHERES NA LUTA URBANA

Recife é uma das capitais brasileiras que assumiu recentemente um papel relevante na efervescência das resistências urbanas.

Ocupação Carolina Maria de Jesus – 2016
Foto: Keila Vieira

Da resistência aos despejos da Copa do Mundo, passando às mobilizações em torno do Cais José Estelita, até a luta dos trabalhadores do comércio informal, a cidade tem sido palco de um combativo movimento pelo direito à cidade. Todo esse processo de organização e mobilização popular acabou servindo de base para o agrupamento de militantes que decidiram fundar o MTST-PE, diante da compreensão de que o Movimento é um dos principais instrumentos do país no combate às desigualdades que essa forma de urbanização vem trazendo para a nossa sociedade.

A luta dos trabalhadores e das trabalhadoras sem teto cresce na medida em que as contradições da nossa sociedade se tornam mais nítidas. E o surgimento do movimento no estado de Pernambuco, no fim de 2015, veio somar-se à luta por uma cidade mais justa, democrática e com moradia digna para o seu povo. A união de lutadoras e lutadores sociais que disputavam, em sua maioria, a cidade do Recife, trouxe um movimento bastante diverso, visto que seus componentes são oriundos de arenas de lutas diversas: comerciantes informais, estudantes, militantes partidários ou sem vinculação nenhuma, professores etc. E esse coletivo foi se forjando em diversas resistências territoriais que tinham como elemento unificador a resistência contra despejos de famílias trabalhadoras de seus lugares de moradia e trabalho.

Um dos casos mais importantes foi o apoio à luta das famílias do bairro do Sancho. Essas famílias foram ameaçadas de remoção por um decreto do Governo do Estado de Pernambuco visando ampliar o Complexo Prisional do Curado, que se encontra superlotado. Com muita mobilização, foi possível fazer com que o governador Paulo Câmara anulasse o decreto de desapropriação e garantisse às famílias a permanência na área que ocupavam desde muito antes da construção do complexo.

Em abril de 2016, o MTST Brasil fez sua primeira ocupação na cidade do Recife, chamada de "Nova Canudos". Tal ocupação resistiu por 24 horas intensas de repressão policial, a mando do Governo do Estado de Pernambuco e de "importantes" figuras do cenário local. O movimento conseguiu a garantia de 500 casas pelo Governo Federal, mas essa promessa não foi cumprida. Afinal, o golpe que assolou o país não foi só na casta política, o povo também saiu prejudicado.

Apesar de a primeira ocupação ter durado pouco tempo, o movimento teve a capacidade de se reorganizar e preparar sua segunda ocupação, realizada no dia 17 de fevereiro de 2017. A ocupação Carolina de Jesus resistiu e resiste bravamente, mesmo com todas as adversidades possíveis que uma ocupação possa ter. Os seus ocupantes têm enfrentado os problemas cotidianos de frente, entendendo o significado da luta de forma ampla, participando de diversos atos que não se restringem aos da pauta de moradia, a despeito das investidas da polícia pernambucana contra o local. A chuva, a escassez de recursos e a precariedade das instalações se refletem na maior vontade de lutar e de entender que só lutando é que se muda a vida.

O maior exemplo de disposição que os lutadores e lutadoras do MTST-PE já deram ocorreu no dia 21 de fevereiro de 2017, apenas quatro dias após iniciada a Carolina de Jesus. Centenas de sem-teto se deslocaram para a Companhia Estadual de Habitação e Obras (CEHAB) com a finalidade de protestar por algo que é garantido pela Constituição: a moradia. O episódio ficou conhecido como o "Massacre da CEHAB", pois a repressão policial foi violentíssima. Houve gente atingida por armas letais, além de dezenas de feridos por bala de borracha e estilhaços. Na ocasião, 10 militantes foram presos em flagrante, sendo acusados de vários crimes, dentre eles o de associação criminosa, conhecida popularmente como formação de quadrilha. Essas prisões desencadearam, já no dia seguinte, uma onda de solidariedade de âmbito nacional, frente à ilegalidade do flagrante, depois reconhecida por decisão judicial decorrente da audiência de custódia. Tal fato só fez aumentar a união dos militantes do movimento, além de reforçar os laços de confiança entre os ocupantes e o MTST-Brasil.

A luta ilustrada no "Massacre da CEHAB" trouxe também vitórias importantes para todas e todos que batalham na Carolina de Jesus. O governo pernambucano cedeu o terreno para que seja construído um conjunto habitacional. Ao mesmo tempo, foi enviado à Assembleia Legislativa um projeto para a construção desse conjunto habitacional, faltando apenas sua aprovação. A fé na luta das famílias e sua disposição para mudar os rumos de suas histórias foram determinantes para essa vitória.

A trajetória da ocupação Carolina de Jesus é das mais belas possíveis: o trabalho coletivo, o enfrentamento, o mutirão de saúde, a horta comunitária, etc. Mas dentre todos esses processos, destaca-se a dinâmica de auto-organização das mulheres nos processos de luta, como o trabalho sistemático que se realiza em atividades como chás de bebê (inspirados na experiência do MTST-RJ), das rodas de diálogo, na inserção dos espaços de militância e mobilização das mulheres, como o dia 8 de março, os travamentos rodoviários realizados só por mulheres no Recife e a provocação para a construção do setorial nacional de mulheres no MTST. Nesse sentido, não é à toa que a Carolina de Jesus seja símbolo dessa resistência. Ela, mulher negra e favelada, que rompeu com a invisibilidade e a segregação para entrar para a História como uma grande escritora do país, fala da condição de vida na periferia:

"Preparei a refeição matinal. Cada filho prefere uma coisa. A Vera, mingau de farinha de trigo torrada. O João José, café puro. O José Carlos, leite branco. E eu, mingau de aveia.

Já que não posso dar aos meus filhos uma casa decente para residir, procuro lhes dar uma refeição condigna.

Terminaram a refeição. Lavei os utensílios. Depois fui lavar roupas. Eu não tenho homem em casa. É só eu e meus filhos. Mas eu não pretendo relaxar. O meu sonho era andar bem limpinha, usar roupas de alto preço, residir numa casa confortável, mas não é possível. Eu não estou descontente com a profissão que exerço. Já habituei-me a andar suja. Já faz oito anos que cato papel. O desgosto que tenho é residir em favela."

Trecho do brilhante *Quarto de despejo*, da escritora Carolina Maria de Jesus, homenageada pelo MTST/PE em sua ocupação.

A CONSOLIDAÇÃO DA POLÍTICA TERRITORIAL E O PROCESSO DE EXPANSÃO NO NORDESTE

Das crises e dos retrocessos também nascem as possibilidades e resistências. E, diante de toda a conjuntura criada pelo Golpe de Estado no Brasil em 2016, da intensificação das mobilizações populares e da formação da Frente Povo Sem Medo, também se deu um avanço da ampliação do MTST para outros estados.

O que se revelou inicialmente como resistência, com os retrocessos e o aprofundamento das desigualdades sociais, surge como processo de fortalecimento da organização popular nos territórios num médio e longo prazos. Esse processo tem se dado mais forte na região Nordeste, na qual se concentram muitas das contradições urbanas do país e onde existe o legado de um forte histórico de resistência popular.

Nesse sentido, o ano de 2017 vem sendo marcado pela construção do MTST nos estados de Alagoas, Paraíba e Sergipe, com a formação de coletivos estaduais. Também vem crescendo a integração com os outros estados da região, especialmente desde o Encontro Nordeste do MTST, realizado em agosto de 2017, em Recife.

Visualizar a trajetória construída nessas duas décadas de luta é percorrer um conjunto de aprendizagens e acertos a partir da aposta numa política territorial. Essa política tem como pressuposto a organização das famílias trabalhadoras pelos lugares onde vivem e a construção de referência territorial a partir das ocupações. Essa referência se consolida nas vivências dentro das ocupações, nas refeições partilhadas e produzidas nas cozinhas coletivas ou nas redes de cuidado constituídas entre as ocupantes que refazem os laços sociais rompidos no cotidiano fragmentado pelo individualismo. O sentido territorial também aparece no caráter pedagógico da mediação dos conflitos e da auto-organização dos grupos de cada ocupação, no sentimento de pertencimento fortalecido pela simbologia das palavras de ordem, na resistência que ocupa também as ruas. Em suma, nas lutas que não são só por habitação, mas por transporte, por creche perto de casa (ocupamos uma creche abandonada em Maracanaú, Ceará, após o despejo da ocupação Bandeira Vermelha), por educação pública e de qualidade (como quando das ocupações das escolas), por serviços públicos (quem lembra das manifestações durante a crise hídrica em São Paulo?) e tantos outros exemplos que mostram a força que o povo organizado inspira e as vitórias que é capaz de conquistar. Essas vitórias, para o MTST, indicam um processo progressivo de construção do poder popular. No próximo capítulo, buscaremos falar dos desafios e potenciais postos pela atual conjuntura para esse processo de construção.

DESAFIOS ATUAIS
DO MTST

——— A ONDA CONSERVADORA
OU: A MÃE DO GOLPE

Após as eleições de 2014, em que a presidenta Dilma Rousseff se reelegeu com um discurso voltado para os setores populares, esses mesmos setores tiveram uma grande surpresa. Em vez de tomar medidas que fossem ao encontro do anseio de quem a elegeu, a presidenta praticamente começou a implementar o programa derrotado nas urnas.

A nomeação de Joaquim Levy (executivo ligado ao Banco Bradesco) e o anúncio do chamado "ajuste fiscal", com a aprovação das medidas provisórias 664 e 665/14, que alteraram as regras referentes ao seguro-desemprego, abono salarial, pensão por morte e auxílio-doença, abriram ainda mais espaço para as demandas dos grandes empresários e passaram a conta da crise econômica para os trabalhadores mais pobres.

O pleito de 2014, além da apertada vitória de Dilma contra Aécio Neves, também elegeu um dos congressos mais conservadores de nossa história. Símbolo disso foi o expressivo aumento de deputados do PSDB, a queda drástica do número de deputados petistas e as votações recordes de Jair Bolsonaro (PP-RJ) e Luis Carlos Heinze (PP-RS), ícones do pensamento reacionário. O declínio petista fora confirmado com a eleição de Eduardo Cunha para a presidência da Câmara dos deputados já no início de 2015. Como sabemos, Cunha, um verdadeiro mafioso, foi um dos principais articuladores do golpe institucional contra Dilma. Com apoio direto da grande mídia e também do cada vez mais assanhado poder judiciário – que não é eleito e não está submetido a nenhum controle social, ou seja, não tem nenhum compromisso com o povo –, o golpe se desenhava na frente de todos. O objetivo? Salvar a pele dos corruptos fisiológicos, "estancar a sangria" da Operação Lava Jato, que parecia fora de controle, e retomar o caminho mais agressivo do neoliberalismo.

O ajuste fiscal não poderia deixar de afetar também as políticas para moradia. O governo federal havia prometido lançar o programa Minha Casa, Minha Vida 3 ainda em 2014, porém, nada aconteceu. No início do seu segundo mandato, não foi diferente. É por isso que, através da Frente de Resistência Urbana, o MTST, junto com outros movimentos, organizou a jornada de lutas "Periferia ocupa a cidade, reforma urbana de verdade", realizando travamentos em importantes rodovias do país. As reivindicações exigiam o imediato lançamento do programa, mas também alterações em alguns de seus critérios, buscando reverter os privilégios das empreiteiras e fortalecer a modalidade Entidades gerida pelos movimentos sociais.

O GOLPE:
A DEMOCRACIA (IN)EXISTENTE

Muitas pessoas rezaram para que o ano de 2015 acabasse logo. Mal sabiam elas o que estava por vir em 2016.

Com o golpe institucional avançando, o governo Dilma estava nas cordas, enquanto a agenda do ajuste fiscal e da austeridade ganhavam mais força e protagonismo. Como se isso não bastasse, a Lei Antiterrorismo, proposta pelo palácio do planalto, foi aprovada no congresso, tornando a criminalização das lutas sociais basicamente uma questão de interpretação da lei.

Após meses de um verdadeiro bombardeio do Ministério Público, Polícia Federal, poder judiciário e mídia, o golpe teve seu "momento auge" em 17 de abril, em um verdadeiro circo de horrores estrelado na Câmara Federal por dezenas de deputados notoriamente corruptos. Em nome de "Deus" e da "família", foi aprovado, por 367 votos a 137, o impeachment de Dilma Rousseff, sem que em momento algum fosse comprovado o crime de responsabilidade. Lá estavam o MTST e a Frente Povo Sem Medo unidos com aqueles e aquelas que lutavam contra o golpe e a favor da democracia.

Logo que assumiu, Michel Temer, um político fisiológico apegadíssimo às franjas do poder, tratou de recolocar as "coisas no lugar", representante que é dos setores empresariais, financeiros e do agronegócio. É óbvio que iria sobrar para os movimentos sociais: Temer nomeou para chefiar o Ministério das Cidades, responsável pelo MCMV, Bruno Araújo (PSDB) com indicação direta de do perdedor da eleição de 2014, Aécio Neves. A essa altura, a democracia já estava longe.

Bruno Araújo fez questão de suspender as contratações do MCMV Entidades que já estavam autorizadas, prejudicando, somente no MTST, mais de 40 mil pessoas. E, mesmo após uma ocupação e um histórico acampamento na frente do escritório da Presidência da República em São Paulo (o "Ocupa Paulista"), nenhuma contratação foi feita, mostrando o caráter antipovo do governo ilegítimo de Michel Temer.

Desde então, o governo caracterizou-se como o mais agressivo no ataque a direitos sociais e trabalhistas. Aprovou, por exemplo, a Proposta de Emenda Constitucional 55, que congela gastos públicos por 20 anos, a Reforma Trabalhista, que, na prática, encerra a CLT, e a PEC 215, conhecida como PEC da grilagem, por favorecer abertamente o agronegócio em disputas contra trabalhadores rurais e indígenas. Tudo isso e muito mais sem a preocupação com a legitimidade popular. Em 2017, a aprovação de Temer chega a 3%[8], já que, dia após dia, o presidente chafurda em escândalos de corrupção e aplica um programa que jamais poderia passar pelo crivo das urnas.

Além da grave crise política, vivemos o assombro de uma crise econômica que parece não ter limites. Recentemente, chegamos a um recorde negativo: são mais de 13 milhões de brasileiros desempregados, segundo o IBGE. Além do desemprego, a violência urbana e, consequentemente, o genocídio do povo negro, atingem escalas assustadoras; a militarização das cidades; a dilapidação do que ainda resta de serviços públicos; a fome...

Os anos 90 parecem estar de volta. A diferença é que essa conjuntura encontrará um vigoroso movimento popular urbano organizado e pronto para enfrentar os desafios com o que sabe fazer de melhor: ocupações urbanas para enfrentar uma das maiores crises que o povo periférico terá vivenciado nas últimas décadas.

---

8 Segundo pesquisa CNI/Ibope divulgada em 28/09/2017.

Condomínio João Candido – Taboão da Serra (SP) – 2016
Foto: Thiago Macambira

REFORMAS POPULARES:
O CAMINHO PARA AS MAIORIAS

No contexto de avanço conservador e de um ajuste fiscal agressivo já a partir do segundo mandato de Dilma, não restava opção a não ser uma iniciativa de unidade entre os setores populares organizados.

Assim, constituía-se a Frente Pelas Reformas Populares, contando com entidades como a Intersindical, a CUT, o MST, a UNE e também alguns setores das igrejas católica e evangélicas e partidos políticos de esquerda.

A frente buscava barrar as políticas de austeridade e propor reformas populares e estruturais para o país, tais como as reformas urbana e agrária. Também denunciava o discurso golpista que já despontava nas línguas dos representantes mais descarados da direita brasileira. Os principais eixos da frente, que foi uma espécie de germe da Frente Povo Sem Medo, eram os seguintes:

1) Luta pelas Reformas Populares;

2) Enfrentamento das pautas da direita na sociedade, no Congresso, no Judiciário e nos Governos;

3) Contra os ataques aos direitos trabalhistas, previdenciários e investimentos sociais;

4) Contra a repressão às lutas sociais e o genocídio da juventude negra, pobre e periférica.

Foram vários os atos de rua nesse processo, com destaque para o ato "Contra a direita, por mais direitos", que reuniu mais de 40 mil pessoas nas ruas de São Paulo, em abril de 2015:

"Entendemos que a saída da crise é pela esquerda. O ajuste deve, sim, ser feito, mas taxando aqueles que sempre lucraram com as crises. É preciso taxar as grandes fortunas, os lucros e os ganhos com a especulação financeira e na bolsa de valores, limitar a remessa de lucros para o exterior, reduzir drasticamente os juros básicos da economia e promover uma auditoria da dívida pública. O caminho para mudanças populares no país é um Programa de Reformas Estruturais, tais como a tributária, que implante a progressividade nos impostos, a urbana, para atender à enorme demanda habitacional do país, a agrária, que garanta trabalho e soberania e a segurança alimentar para a população, e a democratização dos meios de comunicação.

Por tudo isso, estaremos nas ruas no próximo dia 15 de abril. É fundamental construir uma agenda política alternativa que combata as propostas da direita e que ao mesmo tempo defenda os direitos dos trabalhadores e trabalhadoras contra os ajustes antipopulares propostos pelos governos estaduais e federal. Essa agenda comum deve ser a base para a unificação de todos os setores populares e da esquerda em torno de um calendário de mobilizações em defesa e ampliação dos direitos dos trabalhadores e trabalhadoras, do povo pobre e de todos os setores oprimidos da sociedade. Deve também apoiar todas as iniciativas de luta e resistência, como a greve dos professores de São Paulo. Contra a direita, por mais direitos."

—— FRENTE POVO SEM MEDO: MOBILIZAÇÃO E ORGANIZAÇÃO POPULAR CONTRA A LÓGICA MERCANTIL DAS CIDADES

Inserido em um processo político mais amplo, o MTST é ao mesmo tempo o principal movimento popular de luta por moradia no país e uma importante referência do campo popular, propondo a mobilização de rua e a organização coletiva de base como alternativa para a esquerda brasileira, até então quase sempre presa entre a defesa acrítica do período petista e o sectarismo estéril.

Assim, durante o mesmo processo, ocorreu em junho de 2015 o Encontro Nacional do MTST com o objetivo de aprovar linhas gerais para um regimento organizativo interno, o que contribui significativamente para a nacionalização do MTST. Ao mesmo tempo, seguem as mobilizações pelo lançamento e contratações do Minha Casa, Minha Vida 3 e os atos protagonizados pelo MTST contra os ajustes de austeridade e o avanço da direita. Em agosto de 2015, as manifestações – a essa altura também em resposta ao andamento do golpe de Estado –, contaram com mais de 200 mil pessoas em todo o país contra o ajuste fiscal e por reformas populares.

Assim, torna-se um desdobramento natural desse processo a criação da Frente Povo Sem Medo, como expressão da reconfiguração do campo popular e da esquerda. Trata-se da única iniciativa política do país em que estão lado a lado organizações ligadas diretamente aos governos petistas – casos da CUT e da UNE –, passando por movimentos autônomos, como o próprio MTST, até organizações acentuadamente críticas ao petismo, como diversas correntes do PSOL, revelando a capacidade aglutinadora do MTST na atual conjuntura.

No manifesto de lançamento da Frente ficou claro que a saída para a crise internacional que afetava o Brasil não poderia ser a política que penalizava somente os mais pobres, mas, sim, a construção de um alternativa popular, fazendo com que os mais ricos também fossem responsabilizados por ela. E, para chegar em tal alternativa, não havia outro caminho senão a retomada das ruas com grandes manifestações populares e a retomada do trabalho de base, principalmente nas periferias urbanas, conclamando as classes populares a lutar diante do massacre que vinham sofrendo. Contra a ofensiva conservadora, a intolerância de todos os tipos, a criminalização da pobreza e das lutas sociais; contra a austeridade que esmaga os pobres, a Povo Sem Medo se lança como ferramenta para radicalizar a democracia e a participação popular por reformas estruturais, como a democratização das comunicações, a reforma tributária progressiva e um controle social do poder judiciário, bem como profundas reformas agrária e urbana.

"Precisamos avançar no sentido de transformações estruturais, distributivas. Pautar o tema das reformas populares, pautar temas essenciais para sair dessa encruzilhada histórica em que nos encontramos.

Pautas como a dívida pública, a reforma tributária, a propriedade urbana e agrária e a própria democratização efetiva do sistema político. Não há outro jeito: uma ampla pressão de mobilização social por fora do sistema político. O grande desafio hoje é reconstruir um ciclo de mobilização social no país, recuperando as ruas como espaço de fazer política. Precisamos derrubar esse consenso de que política se faz apenas dentro do Estado, de que política é disputar institucionalidade. Política também se faz nas ruas, e é essa política que a Frente Povo Sem Medo busca apontar como um caminho. Para isso, naturalmente, é preciso recuperar as formas de trabalho, a metodologia de um trabalho de base que foi perdido pela esquerda."

Guilherme Boulos, em entrevista para a revista *Territórios Transversais* nº 4.

Se esse momento histórico é marcado pelo avanço de um conservadorismo desavergonhado, também não se pode dizer que as lutas sociais foram nulas. Ao contrário, o aumento expressivo das greves, as ocupações de escolas por estudantes secundaristas, o recrudescimento da questão indígena em vários territórios, a luta das mulheres contra as pautas misóginas do Congresso, os sucessivos enfrentamentos contra a violência policial nas periferias e as ocupações urbanas por moradia cada dia mais espalhadas pelo país – a essa altura o MTST já atua em 11 estados – mostravam que os setores populares não se renderiam ao projeto do mercado e das classes dominantes, e apontavam para a construção de um novo ciclo político para o país, fundamentado na participação e no protagonismo popular.

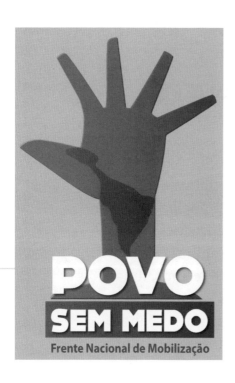

—— PARTICIPAÇÃO POPULAR:
VAMOS!

Entretanto, em um contexto de crise política e social cada vez mais perceptível pelos trabalhadores, especialmente os mais pobres, as mobilizações sociais poderiam ser maiores. Mesmo com mobilizações importantes como a Greve Geral de 28 de abril, uma das maiores da história recente do país, a participação popular para derrubar o governo ilegítimo e defender seus direitos é menor do que se espera/deseja. Todos perguntam: mas cadê o povo?

Talvez o sentimento "antipolítica" alimentado pela inquisição do judiciário contra os governos petistas e espraiado inevitavelmente por conta do verdadeiro lamaçal que é o centro do poder na Nova República ajude a responder àquela pergunta. Esse processo preocupa pelo resultado que pode gerar. Outra possível razão para a apatia do povo é sua percepção de que a plutocracia, completamente intransigente, avança mesmo contra a vontade de amplas maiorias. A presença do exército nas ruas de Brasília para reprimir uma enorme manifestação popular contra a reforma trabalhista demonstra a postura do governo e dos ricos do país. Mas, claramente, também é preciso olhar para o que a esquerda fez e faz. Sem autocrítica, confundimos a realidade com espelhos.

Uma parte da esquerda brasileira acostumou-se com a estratégia de participação em espaços institucionais. Outra, desconectada da vida real dos trabalhadores, brada princípios e esbanja coerência discursiva. A primeira tornou-se refém da "governabilidade" e acabou preferindo fazer acordos com as elites política e financeira do país do que estimular um processo de radicalização da democracia com participação popular. A outra continua bradando sem ser ouvida. Em comum entre as duas partes: a ausência ou a deficiência do trabalho de base, seja nos espaços de trabalho, estudo ou moradia. O imaginário popular vai sendo preenchido e hegemonizado pelos mecanismos de reprodução da ordem, que exigem uma política cada vez mais conservadora e uma unilateralidade econômica. Diante desse cenário, é necessária, por parte das esquerdas, a capacidade de autocrítica, sem descartar os avanços e acúmulos legados pela história da luta dos trabalhadores do Brasil, mas também sendo firmes em apontar os erros cometidos e buscando uma nova prática que se diferencie deles. Mais do que isso, essa capacidade de autocrítica tem que estar somada a uma outra capacidade: a de unidade entre as classes trabalhadoras, sem sectarismo, porém com um projeto verdadeiramente radical para o país e que possua enraizamento popular.

Após o encerramento do ciclo de conciliações, submetido a uma correlação de forças intransigente aos interesses populares, o país voltou para os braços das forças mais conservadoras. Assim, para o MTST e a Frente Povo Sem Medo, abre-se um momento histórico importante: o de construir um programa a partir da perspectiva das maiorias do Brasil. E não é por capricho. Se as forças populares do país não apresentarem uma alternativa à tragédia que se avizinha (e que de alguma forma já se vive), certamente estaremos condenados a mais algumas décadas de hegemonia dos descendentes da casa-grande. A saída da crise econômica, política e social por que passamos é a unidade entre os que lutam e os que aspiram um país mais digno para o povo, combinando bandeiras históricas com as soluções práticas que já se experimentam aqui e ali.

A partir dessa ideia é que se forja o "Vamos!", um desdobramento programático da existência exitosa da Povo Sem Medo. A partir da ampla participação popular em reuniões públicas e também por meio de plataforma digital e debates abertos, o objetivo do "Vamos!" é nacionalizar a discussão e a construção de propostas para mudar a realidade do país[9].

A trajetória do MTST aponta para um trabalho conjunto entre a ação cotidiana territorial, a partir das ocupações de luta pela moradia, por meio de experiências diversificadas de organização nos territórios[10], e também a capacidade de incidir sobre a conjuntura política do país, de acordo com a força social que se movimenta. As necessárias transformações sociais do Brasil não serão resultados de submissão a interesses internacionais e de uma elite conservadora, e tampouco de uma vontade abstrata, alimentada por uma postura pretensamente radical. Não haverá um Brasil livre do neoliberalismo e do vampirismo capitalista sem uma ação social das maiorias. Caberá aos movimentos populares a tarefa de atualizar a política nacional, articulando-se com as forças políticas e sociais atuantes, e também em diálogo aberto com os trabalhadores e trabalhadoras que hoje estão "desorganizados", para oferecer uma alternativa que apresente soluções no curto prazo e que projete para o futuro um novo modelo de organização econômica, política e social. História para mais uns 20 anos.

---

9 http://vamosmudar.org.br/
10 Há alguns anos, o MTST estimula que seus coletivos construam experiências territoriais de luta e organização popular para além das ocupações. Iniciativas diversas de economia popular dentro e fora das ocupações; a Frente Popular de Saúde do MTST; as rodas de mães e gestantes; o acompanhamento a processos de regularização fundiária; os grupos de batucada "Fogo no pavio"; o Jornal comunitário "O Formigueiro", entre outras construções são germes de um enraizamento cada vez mais profundo nas periferias do país.

REFERÊNCIAS BIBLIOGRÁFICAS

BOULOS, G. **Porque ocupamos?: uma introdução à luta dos sem-teto.** 2ª. ed. ampl. e rev. São Paulo: Scortecci, 2014.

_____. **O boom das ocupações**. Entrevistas concedida a Morris Kachani. Disponível em: http://blogdomorris.blogfolha.uol.com.br/2014/05/08/filosofia-lacan-e-mtst-no-campo-limpo/. Acessado em 20/08/2015.

BOULOS, G. e GUIMARÃES, V. **Povo sem medo: a saída da crise é pela esquerda e nas ruas**. Revista Territórios Transversais nº 4, Agosto de 2016.

CASSAB, Clarice. **Mudanças e permanências – novos desafios aos movimentos urbanos: uma aproximação ao Movimento dos Trabalhadores Sem Teto (MTST)**. UFRJ, 2004.

CRISTINA, Teresa. **Pedro e Teresa**. Teresa Cristina e Grupo Semente. Álbum: A vida me fez assim, 2004.

DIAS, Mirela Maria Von Zuben. **Zumbi – do início ao fim: a trajetória dos sem-teto na periferia de Sumaré**. PUC- Campinas, 2013.

ELIAS, Gabriel Santos. **Criar poder popular: As relações entre o MTST e o Estado no Distrito Federal**. Dissertação de Mestrado. Instituto de Ciência Política, UnB, 2014.

ENGELS, Friedrich. **A questão da habitação**. Belo Horizonte, Aldeia Global Livraria e Ed., 1986.

GOG. **Sonho Real**. Álbum: Aviso às gerações, 2006.

GOULART, D. C. **O Anticapitalismo do Movimento dos Trabalhadores Sem Teto (MTST)**. Marília: Universidade Estadual Paulista, 2011.

_____. **MTST, avanços e obstáculos de uma luta anticapitalista**: Territórios Transversais, resistência urbana em movimento, Junho 2014. pp. 24.

HIRATA, Francini. **A luta pela moradia em São Paulo**. Campinas, 2010.

JESUS, Carolina Maria de. **Quarto de despejo**. São Paulo: Ática, 1960.

LOCATELLI, P. **"Grajaú ocupado"**. Disponível em: https://www. cartacapital.com.br/sociedade/grajau-ocupado-2031.html. Acessado em 21/09/2017.

MIAGUSKO, Edson. **Movimentos de Moradia e Sem-Teto em São Paulo: Experiências no contexto do desmanche**. São Paulo: Alameda, 2012.

SILVA, Simone da Conceição. **A atualidade da criminalização produzida sobre o Movimento dos Trabalhadores Sem Teto – MTST: o caso do acampamento Chico Mendes** – Marília, 2014.

ZONTA, Márcio. **Vale, o maior saque de minério do mundo**. Brasil de Fato, 21/10/2013. Disponível em: https://www.brasildefato.com.br/node/26400/. Acessado em 20/08/2017.

Portaria Interministerial nº17, de 27 de junho de 2014. Disponível em: http://www.lex.com.br/legis_25710427_portaria_interministerial_n_17_de_27_de_junho_de_2014.aspx. Acessado em 21/09/2017.

Impresso por :

gráfica e editora

Tel.:11 2769-9056